МИРЗАКАРИМ НОРБЕКОВ

ЭНЕРГЕТИЧЕСКАЯ КЛИЗМА,

или
Триумф тети Нюры
из Простодырово

2-е издание, переработанное
и дополненное

Москва
АСТ • Астрель • Ермак
2004

УДК 159.9
ББК 88.37
Н82

Оформление обложки — дизайн-студия «Дикобраз»
Литературный редактор *М.В. Серебрякова*
Художник *Ю. Станишевский*

Норбеков М.С.

Н82   **Энергетическая клизма, или Триумф тети Нюры из Простодырово** / М.С. Норбеков. — 2-е изд., перераб. и доп. — М.: ООО «Издательство АСТ»: ООО «Издательство Астрель»: ЗАО НПП «Ермак», 2004. — 250, [6] с.

ISBN 5-17-022294-7 (ООО «Издательство АСТ»)
ISBN 5-271-08749-2 (ООО «Издательство Астрель»)
ISBN 5-9577-1034-2 (ЗАО НПП «Ермак»)

Вы держите в руках очередной подарок от автора мировых бестселлеров «Опыт дурака, или Ключ к прозрению: Как избавиться от очков», «Где зимует кузькина мать, или Как достать халявный миллион решений». Новая книга академика Норбекова содержит практикум по обретению энергетического здоровья.

УДК 159.9
ББК 88.37

Подписано в печать с готовых диапозитивов 28.04.04.
Формат 84×108$^1/_{32}$. Бумага газетная. Печать высокая с ФПФ.
Усл. печ. л. 13,44. Тираж 100 000 экз. Заказ 1498.

Общероссийский классификатор продукции
ОК-005-93, том 2; 953005 — литература учебная

Санитарно-эпидемиологическое заключение
№ 77.99.02.953.Д.000577.02.04 от 03.02.2004

При участии ООО «Харвест». Лицензия № 02330/0056935 от 30.04.04.
РБ, 220013, Минск, ул. Кульман, д. 1, корп. 3, эт. 4, к. 42.

Открытое акционерное общество «Полиграфкомбинат им. Я. Коласа».
220600, Минск, ул. Красная, 23.

От АВТОРА

Несколько лет назад в книжном магазине я случайно увидел знакомую фамилию на обложке книги с незнакомым названием и удивился, подумав: «Значит, есть автор-однофамилец».

Но каково же было мое изумление, когда на той же обложке увидел и фамилию моего друга!

Ба-а-а! Оказывается, эту книжку написал я! Вот несчастье-то! И называлась она «Энергетическое здоровье».

Чтобы вам стало понятно, объясню.

Некоторое время назад одна за другой стали выходить книги, написанные от моего имени, и «Энергетическое здоровье» — одна из них.

Так сложился некий калейдоскоп из разных трудов вашего покорного слуги с добавлением отсебятины некоторых плодовитых литераторов.

С тех пор я вынужден отвечать на одни и те же вопросы о «своих» трудах.

В конце концов мне надоело оправдываться и что-то доказывать, и я решил на примере показать своим читателям, ученикам, друзьям и слушателям курсов, как выглядит моя книга — в переработанном и дополненном виде.

Это нужно для того, чтобы в дальнейшем любой мог отличить мою пустую болтовню от мудрости литераторов широкого профиля.

Занимаясь словоблудием, они по любой теме легко раздувают три моих предложения в целые тома.

Когда издательство предложило мне переиздать «Энергетическое здоровье», то, прочитав несколько страниц, я схватился за голову. Читать такое было просто невозможно. Заново пришлось переписывать почти все!

В итоге получилась новая книга из четырех частей.

В первой части — мой скромный практический опыт, представленный отдельными главами из будущих книг.

Во второй части к литературной жвачке добавились мои исправления и комментарии.

Третья часть оставлена практически без изменений.

А в четвертой приглашаю вас на маленькую экскурсию в нашу школу с пятитысячелетней историей и слегка касаюсь вопросов по теме энергетического здоровья, которые мои Наставники могут раскрыть вам с новой для вас стороны.

Что ж, начнем?..

ЧАСТЬ I

Уважаемые читатели!

В предыдущих книгах ваш покорный слуга говорил, что является учеником одной из светских школ, в которой обучаются 40 лет. Только после этого выпускник бывает готов к дальнейшему обучению в институте.

Один из предметов, изучаемых там, — человековедение, или жизневедение.

За несколько тысячелетий существования школы мастера разложили жизнь человека, его потребности и взаимоотношения с окружающей средой на 495 составляющих, каждая из которых может улучшить или ухудшить качество жизни.

Но цель книги не в том, чтобы рассказывать вам, уважаемые читатели, обо всех составляющих, потому что вы еще не готовы к чтению, скажем, двенадцати толстеньких томов!

Здесь мы рассмотрим только некоторые составляющие, а более подробные рекомендации вы сможете найти в книге «Секреты кузькиной бабушки, или Азбука тайных наук».

Итак, 495 составляющих жизни входят в сто домов.

Первый дом — это сам человек, можно сказать — ядро этого дома.

Каждый из этих домов символически представлен в виде пирамиды. Почему?

У меня есть догадки. Как-никак, нашей школе около 5000 лет, и египетским пирамидам примерно столько же.

Если учесть, что наша школа берет начало на Синайском полуострове 50 веков назад, то, может быть, это просто дань моде. Хотя как знать?..

К примеру, если мы рассмотрим структуру алмаза — самого твердого, самого редкого и самого дорогого кристалла, то там мы увидим целое «стадо» пирамид, лежащих в крепких объятиях друг с другом.

О чем это говорит?

Это говорит о том, что абсолютно все, что окружает нас в жизни, все, что есть в нашем сознании, оказывает равное влияние на нашу жизнь. И если, допустим, ваши дух, душа и разум сидят рядом и друг на друга обижаются, почему это жизнь не удалась, то значит, есть тому причины.

Это означает, что небольшой изъян в чем-то одном может увести вас в сторону и угробить всю жизнь, а этого нам не надо, вы согласны?

Тогда начнем с того, что вам ближе.

БелАбердаобразное брюзжание на научной основе

Триумф тела

Всовременных мегаполисах все делается в угоду телу.

Особенно ярко это выражено в западных странах, где тело возведено в культ и поставлено на пьедестал.

Все интересы общества подчинены телесным потребностям и вертятся вокруг них. Глядя на это, можно подумать, что самое гигиеничное тело у европейцев!

Но достаточно посмотреть западные фильмы, телевизионные программы, познакомиться с продукцией других средств массовой информации, чтобы понять, какова там гигиена души и разума.

Только, Боже упаси, не принимайте меня за судью! Я ученый, и моя задача — найти источник болезни.

Согласитесь, тело — это всего лишь сосуд!

А как вы думаете, что важнее: фантик или конфета?

Когда фантик становится более ценным, чем то, что находится внутри под ним, то сами понимаете, это — абсурд!

Я не хочу сказать, что на Западе все плохо, а на Востоке иначе.

Восток тоже по-своему хорош в своих выкрутасах.

У него тело, видите ли, не так уж важно! Там на алтарь возведен дух, и все вращается вокруг культа духа.

На Западе проводятся соревнования культуристов и конкурсы мисс-кис-пис. Знаете?

К примеру, собираются мужчины и демонстрируют свои достоинства, причем не только друг другу и жюри, но и всему миру!

А у женщин свои соревнования — конкурс среди больных женщин, страдающих анемией, — таких тонча-а-йших зубочисток. Их-то и называют разными ми-и-сс-ки-и-с.

Кому-то они кажутся красивыми и вызывают восхищение, особенно если у этого «кого-то» кривые зубы и он имеет тягу к зубочисткам.

Но каждый мужчина знает, и если он не трус, то открыто вам скажет, что — красивая женщина, которая кичится своей красотой, — гарантированная дура!

Красота и ум у женщин — понятия **взаимоисключающие!**

Когда одно гипертрофированно, другое — анемично.

Исключения из «взаимоисключений», конечно, тоже бывают! Особенно если вы в данный момент, читая эти строки, находитесь рядом с женой...

Да, на Востоке тоже есть состязания, но — в поэзии, острословии и т.д.

Так что, как ни крути, Запад — тело, Восток — душа.

Есть страны, где на алтаре находится дух, а есть страны, где на алтаре — разум. Но разве не печально, когда в едином теле глаза оказываются более предпочтительны, чем уши, а нос более предпочтителен, чем, скажем, рука или нога?

Все это и есть отсутствие гармоничности!

Но давайте сейчас с вами рассмотрим те страны, где Запад и Восток сошлись, как два крыла ангела.

Что происходит, когда душа и тело более или менее уживаются друг с другом?

Китай — Восток, Англия — Запад, а соприкоснулись они в Гонконге. Что получилось?

Там, где соприкоснулись истинный Восток и настоящий Запад, мы видим феномен духовно-экономического процветания.

То же самое — в Сингапуре и Японии.

И нас интересует конечный результат, а не кто прав, кто не прав. Главный судья этому — время, а подсудимый — это жизнь. Думаю, вы со мной согласны!

Теперь скажите, кому отдает будущее Земли Господь (если вы верующий) или Природа (если вы ученый-материалист)?

Как мы видим, те, кто тело возвел на алтарь, получил огромные материальные блага, а взамен этого — вырождение своих наций.

Ни для кого не секрет, что европейские нации обрели то, что они хотели: их численность молниеносно сокращается, их народы исчезают с лица Земли!

Вывод: образ мышления, культура и ценности западных народов, которые сформировались за последнее столетие, оказались крайне опасными для существования человечества.

Россия — это и Запад и Восток одновременно. И пока равновесие между ними более или менее сохранялось, было процветание.

А в последние годы, когда крен сместился в сторону Запада, когда в умах людей произошел сдвиг по фазе, и все решили, что все российское хуже западного, и быстро-быстро стали впитывать заморскую культуру, **началось самоуничтожение нации.**

Сейчас население уменьшается на миллион человек в год!

Только не нужно вешать друг другу лапшу на уши, ссылаясь на экономии-и-ческие, социа-а-льные, полити-и-ческие проблемы. Все это ерунда!

Почему у меня такое жесткое мнение?

Да потому, что мне приходилось изучать историю своего народа, **Великих шумеров!**

Еще тогда, когда Европа, образно говоря, «лазала по деревьям», шумеры создали первую в мире письменность, основали академии, проложили в городах канализацию.

Когда на Западе люди еще руками выковыривали корни из земли, чтобы прокормить себя, на Востоке были сооружены висячие сады Семирамиды — одно из семи чудес света.

Когда варвары Запада с улюлюканьем гонялись друг за другом, чтобы кого-нибудь съесть на завтрак, мой народ уже обеспечивал социальную защиту каждого члена общества.

Хуже всего то, что этот великий народ вместе с тем заложил и основы своей будущей трагедии. Уже тогда он создал прототип сегодняшней модели западной культуры, которая в один прекрасный день лопнула, как мыльный пузырь.

И что в результате?

Деградация нации и исчезновение целого народа с лица Земли.

Кучка беглецов, ушедших на Восток, создала новую цивилизацию — империю Тимуридов.

И опять — культ тела, академий, институтов, а в конечном счете — канализаций.

Последняя попытка: десятитысячная армия уходит в Индию, оставив кочевникам среди прочего свои золотые унитазы, и там основывает династию Великих моголов. По старой привычке они создают и там выдающиеся памятники архитектуры, вот один из них — всемирно известный Тадж-Махал.

А что в итоге?

Опять двадцать пять!

Теперь уже они окончательно растворились среди других народностей и сегодня скитаются по всему миру с паспортами, в которых написано: узбек, индус, перс, таджик...

Во всем этом, дорогие мои, только одна закономерность — культ тела!

Пренебрежение гигиеной души, пренебрежение гигиеной духа, пренебрежение гигиеной ума — и пришел капут целой цивилизации.

Теперь понимаете, почему я нападаю на западную культуру? На самом деле я нападаю на болезнь, которую можно было бы назвать чопорной глупостью людей.

Ну что ж, продолжим экскурс в историю.

Римская империя — пуф — и тоже исчезла со всеми своими институтами, банями, ваннами, бассейнами и демократией в придачу.

Византия создала высоченный культ быта и достигла в этом совершенства. А уничтожила ее та же глубокая безнравственность.

Неспроста говорят, что Византия побеждала всех своей лживостью и в конечном счете обманула сама себя. Там ведь тоже говорили о других народах как о варварах. И что?

Варвары остались на земле, а высокоумные потребители пищи исчезли.

Паф — и нет еще одного мыльного пузыря.

С Египтом — та же история.

На алтаре душа

Теперь давайте на пьедестал поставим потребности души и посмотрим, что с этой точки зрения происходило в истории. Что мы имеем?

С одной стороны, расцвет искусства, живописи, поэзии, музыки, философии, стремление души к свету, гармонии, чистоте, и дальше — к возвышенному и божественному.

С другой — физическое уничтожение тела и разума, а в конечном счете — уничтожение человечества и самой жизни. Это — крестовые походы, инквизиция, охота на ведьм и т.д.

Теперь поставим на первое место разум

Появляется громадное количество разработок, улучшающих жизнь обывателей, которые заполняют кафе, бары, рестораны.

Но есть и другая сторона разумных достижений. Это атомные, водородные и нейтронные бомбы — бесчисленное количество способов уничтожения обладателей чавкающего разума и всех мест их обитания!

Дух назначил себя головой всему

Его принцип: кто силен, тот и прав.

Если случайно этот принцип начинает работать в созидательном направлении, то мы имеем победы, преодоление на первый взгляд непреодолимого, достижение успеха в начинаниях, раскрытие нестандартных способностей и т.д.

Но если этот принцип работает в другом направлении, то получается как в анекдоте:

— *Ты мне дважды и о-очень медленно разъясни! Как-никак я военный!*

Носители бомб на Хиросиму и Нагасаки обеспечат бесплатную экспресс-доставку этого продукта на вашу голову, где бы вы ни находились, в любое время дня и ночи. Прямо-таки сервис по высшему разряду!

К сожалению, в истории этому есть множество подтверждений.

На этом разрешите остановиться и пока больше не вдаваться в историю культуры народов.

13

А теперь, как говорится, БЛИЖЕ к ТЕЛУ

Ч то ж, как всегда вернемся к нашим баранам, то есть к самим себе и к своим проблемам. Но прежде чем вплотную подойти к энергетическому здоровью, чу-у-точку отойдем в сторону (километриков так на пятьсот!) и на примере автомобильного парка рассмотрим ученый мир!

Трамвай — это, конечно, не автомобиль, но все-таки... — ученый, который из чужих диссертаций собрал свой калейдоскоп.

Трактор — соискатель ученой степени, на котором сидит его руководитель и пашет свое поле.

Автобус, или профессор, — общественный транспорт, чье время, а в конечном итоге жизнь тратятся на извоз студентов из пункта А в пункт В, от первых лекций до дипломных работ.

14

Такси — это академики. Если есть возможность, можешь на них покататься — просто так или со смыслом.

Не очень-то понятно, да?

Вот для этого так и написал!

Но в этом громадном автопарке есть самая желанная, для некоторых «придурков», внешне неказистая и мало престижная модель — **вездеход-ученый**.

На вид модель не комфортабельна — в рестораны и театры на ней не поедешь. Неказистые колеса и неотесанный внешний облик сразу будут себя выдавать.

Этот ученый работает в тяжелых полевых условиях, где нет проторенных дорог, лаком покрытых паркетных коридоров, с указателями, табличками на дверях и инструкциями с пояснениями что к чему.

Вездеход-ученый постоянно получает удары, терпит нападки со всех сторон. Кроме того, по дороге к заветной цели он может наскочить на валун и свалиться в болото неизвестности, оказавшись потом в эпицентре тучи высоколобых комаров, жужжащих на ученых советах о том, что вычитали в умных книжках.

И в этом случае помощи ждать неоткуда, так что нужно будет самому выкарабкиваться, чтобы идти, идти и идти вперед.

Представьте себе ландшафт: вперемежку — пустыня, горы, леса, поля, где не ступала нога человека. И вездеход-ученый один едет в этой безлюдной пустыне, продирается сквозь дикую чащу, и с ним может случиться все что угодно.

Он может случайно забрести на территорию местных дикарей — монополистов истин в науке — и быть съеденным ими.

Или может свалиться в пропасть ошибок.

В любой момент может закончиться горючее, то есть силы, терпение, оптимизм и здоровье. Ведь на таком пути гадов всех видов хватает вдоволь!

Жестковато написал?

Ну, извините, если кого задел!

Просто я предлагаю вам: как бы ни было трудно на этом неизведанном пути, бросайте свой вонючий от перегара автобус с его старым заезженным маршрутом и айда со мной, — за туманом!

Станьте «вездеходом», и кроме трудностей, вы увидите сумасшедшей красоты краски жизни!

Ну что, сели в драндуль-вездеход? Тогда поехали осваивать НЕИЗВЕДАННЫЕ ПРОСТОРЫ!

Возьмем какую-нибудь болезнь, известную медицине как неизлечимая. В медицинских училищах и вузах об этой болезни рассказывают студентам с позиции раз и навсегда установленной истины, не подлежащей переосмыслению и тем более изменению!

А ведь такое уже в истории было. Вспомните:

— Друзья! Земля — плоская!..

Но вдруг вы встречаете пациента, скажем тетю Нюру из Простодырово, которая страдала этим заболеванием, и слышите из ее уст белиберду о хорошем само-

17

чувствии и полном выздоровлении после посещения какого-то Ухрюкинска.

Если я еще не перешел в состояние законченного идиота, для которого готовые знания не подлежат переосмыслению, то сделаю примерно следующее.

Первое — перепроверю диагноз этой дурочки Нюры, которая, видите ли, не знала, что ее болезнь неизлечима. А вдруг диагноз был ошибочным?!

Второе — отправлю ее на консультацию к психиатру, чтобы проверить на наличие глюков.

Третье — если диагноз был поставлен правильно и у нее никаких глюков нет, то сам схожу к психиатру, не померещилось ли? Как-никак рушится незыблемость истин!

Наука-то точно знает, что чуда не бывает, потому что у всякого чудЫ можно перья посчитать на научной основе!

А теперь, после встречи с этой идиоткой, придется ехать в тот Ухрюкинск, чтобы на месте во всем разобраться!

Лежала бы себе тихо дома в Простодырово, ожидая своего научного конца. Так нет (!), приперлась и вылечилась, на голову медицине. А незыблемая истина так старалась, так старалась остаться несокрушимой!

Итак, мы приехали в этот хутор.

Смотрим: пациенты принимают одну и ту же процедуру.

«Лекарь» тетя Соня, накормив поросят, выходит из свинарника, снимает с ног резиновые галоши и три раза стучит ими по голове пациента. Процедура окончена!

Но только не надо понимать меня буквально! Я утрирую события, на ходу придумываю — просто создаю образ.

Наблюдаем. Какая-то часть пациентов выздоравливает. И нам надо проанализировать, отчего происходит выздоровление: не от галоши же!!! Мы-то с вами хорошо знаем, что такого не бывает.

Рассматриваем всевозможные варианты.

Экология. Может быть, воздух здесь какой-то особенный — благоприятно влияет на здоровье?

Научно принюхиваемся — запашок как везде!

Смотрим, может, солнце по утрам здесь не с того угла прищуривается?

Да нет, торчит там же, как в других местах!

Тогда, может, самовнушение?!

Да нет, у людей страждущих, которые приехали к тете Соне со всего света, самовнушаемость такая же, как у обычных потребителей рекламы!

Тэ-э-кс! Круг сужается.

Значит, все-таки остается галоша — вместе с тем, что на нее налипло в свинарнике. У нас остаются два объекта исследования: резиновые галоши и то, что к ним пристало!

Чтобы исключить научные ошибки, отделяем одно от другого! Исследуем.

Галоши как галоши! Значит, дело в ином.

Мешок «лечебного препарата» несем в стерильную лабораторию. Задача: изучить, чем отличается эта панацея тети Сони от повсеместно встречающейся грязи. Смотрим — различий нет!

Значит, лечебный эффект достигается, когда «бальзам» попадает на макушку.

Приглашаем добровольцев и углубляем эксперимент.

Наблюдаем, что даст наибольший лечебный эффект: щепотка сухого навоза или целый мешок? И в каком виде лекарственное средство даст наилучший результат: свеженьким, тепленьким или сухим, а может, с выдержкой?

Оказывается, без разницы!

Другими словами, выясниялось: не в навозе дело!

А в чем же тогда?

Не торопитесь, эксперимент продолжается.

Теперь добровольцы пошли по следующему заходу.

Три раза в день до и после еды трижды научно с треском получали галошей по макушке. Но результат остался неизменным.

Тогда пришлось условия эксперимента приблизить к полевым.

Из научной лаборатории устраиваем повзрослевший поросятник: всем сотрудникам напяливаем галоши. И сотрудники начинают ходить по импровизированному свинарнику такой же походкой, как тетя Соня.

Снова неочищенной обувью лупим страждущих добровольцев по макушке.

И вдруг, ты смотри — результат улучшился!

Как это произошло, убейте — не знаю. Это — территория соискателей на ПОискание кандидатских и докторских диссертаций в будущем. А лечить надо сейчас!

Вот из-за этого, не умничая, повторяем точь-в-точь ту же **процедуру**, что и в Ухрюкинске, только воспроизводим **мы ее** у себя в лаборатории многократно.

Почему? Потому что здесь есть более высокий результат, чем в других местах. Понятно?

Теперь, когда мы с вами достаточно поиграли в пронаучную фантазию с запашком, перейдем к делу.

И говорить буду с вами не только как лабораторная крыса и доктор наук, а самое главное — **как практик.**

Многое, чем с вами поделюсь, объяснить, основываясь даже на последних достижениях науки, я не в состоянии.

По разным причинам можно этого не знать, но исхожу я из конечного и главного результата, который называется **выздоровление.**

И какими бы глупыми не показались мои действия, если есть результат и он постоянно повторяется, значит — есть закономерность.

Как объяснить эту закономерность, мы не знаем, но знаем одно: то, что приводит к ней, надо с точностью, скрупулезно применять на практике. Правда это только поначалу.

Секреты и механизм многих наших сегодняшних достижений любой из моих учеников может объяснить, но начинали-то мы когда-то со слепого повторения закономерностей, неизменно приводящих к положительному результату.

А теперь переходим к ПРОнаучной тематике: «Энергетическое здоровье, энергетическая гигиена, энергетическая реабилитация»

Ох, как я облегчаю труд моих оппонентов!

Какой я у-умный

Для начала возьмем одну инфекционную болезнь, которая особенно свирепствует в мегаполисах.

Она называется развод или распад семьи.

Классифицируется как «венерическая».

Формы распространения: ушно-воздушно-капельная, дворовая, подзаборная, социальная, территориальная, посредством телевидения и других средств массовой информации.

Когда ежедневно по многу часов работаешь с людьми, общаешься с ними, выслушивая их проблемы, невольно замечаешь, что внешние факторы распада семьи удивительно схожи и есть общие закономерности.

Не у всех, но примерно у одной трети.

Классификация причин распада семьи

Территория распространения:
места свободной диктатуры необузданных инстинктов.

Где больше свободы для тех, кто хочет обзавестись семьей?

Конечно, в мегаполисах!

Где потерян опыт старших поколений, накопленный тысячелетиями в плане создания семьи?

Опять же в больших городах!

Где люди уже не хотят размножаться — имеют одного ребенка или заводят собачонку?!

Там же.

Где родители — дураки, а ребенок умный?

Адрес все тот же!

А теперь главный вопрос, тихим шепотом: **где сплошь и рядом разводятся?!**

Ответ найдите сами.

Причина: **потеря влияния мудрости старших на безудержную эрекцию младших!**

В тех местах, где возраст почитается как мудрость, там разводов почти не бывает.

Вы можете считать меня совершенно не правым, дорогие мои, но я категорически против, когда сын, показывая на чью-то дочь, говорит:

— Родители, я на ней женюсь!

Или дочь выбирает себе жениха и заявляет:

— Хоть подохну — выйду замуж за него!

Я знаю, что этот брак закончится разводом, потому что такая любовь через какое-то время у них улетучится.

Любовь, которая появляется в кафешках, барах, на дискотеках, не выдерживает испытаний бытом, встречаясь с грязным бельем и с картофельными очистками. Она имеет свойство при встрече с трудностями испаряться.

Взрослеющие дети очень легко путают сексуальное влечение с настоящей любовью. Через какое-то время, когда сексуальная потребность удовлетворяется, влюбленные смотрят друг на друга с отвращением: «Что я нашла в нем?!» Или: «Что я нашел в ней?!»

Значит, ребенок должен быть готов к тому, что вы будете советчиком в выборе невесты или жениха. На самотек пускать такое важное дело ни в коем случае нельзя!

Ваша накопленная мудрость призвана помогать детям и передаваться из поколения в поколение.

Если в каждой семье ребенок будет обучаться слушаться старших, вы сможете уберечь его от многих неприятностей, в том числе от развода!

Настоящая семья начинает формироваться примерно через два года после начала супружеской жизни.

Супруги, образно говоря, становятся беременными семьей!

Примерно через два года проявляются схватки — скандалы, во время которых молодые начинают терять свое ложное одиночество, ложное эго.

Но у них самих будут возникать другие ощущения, и появится опасность развода. Они могут не понять трудностей «переходного возраста» и в самом начале зарождения семьи погубить ее.

Следующая потеря лишнего груза, потеря ненужного эго наступает в начале седьмого года супружеской жизни. Семья примерно на 50% уже становится одним целым.

Где-то раз в каждые семь-восемь лет супруги становятся ощутимо ближе друг к другу.

Примерно к пятидесяти пяти, к пятидесяти шести годам, к вашему сведению, возникает семья. Семья рождается очень долго! И любовь, которая пробуждается вместе с ней, никогда не погибает!

Незнание этого переходного состояния уводит супругов в разные стороны по принципу: не сошлись характерами.

Если в этот момент вы поддержите их решение и скажете: «Разводитесь — с этой сучкой или этим кобелем — мы лучше найдем!» — то ваши сын или дочь в обяза-а-тельном порядке через несколько лет в лицо вам скажут:

— Ты-ы уговаривала меня разводиться! Теперь я из-за тебя страдаю!

А потом следующий развод, потом следующий и следующий...

И каждый раз новая супружеская жизнь будет сравниваться с первой.

Вторая жена — всегда та, которую ты сравниваешь с первой. Не так ли, уважаемые «двоеженцы»?!

А когда у ваших детей начнется создание настоящей семьи, примерно в конце года, то появятся легкие ссоры, мелкие конфликты. Вот здесь-то и надо поставить буфер. Вернее, вам самим необходимо стать этим буфером!..

МЕЛКОЕ брюзжание

Раньше, когда старшие выбирали невесту или жениха для своего повзрослевшего ребенка, они с колокольни своего жизненного опыта подбирали подходящую по характеру пару, неоднократно взвешивая все «за» и «против». И в большинстве случаев получались лучшие супружеские пары.

Предлагаю на ваше усмотрение обрезанный список рекомендаций.

Холерик + холерик

Гороскоп: трясогузка + трясогузка.

Потомство: сами знаете. От яблони — персики не падают.

Плюсы: неудержимые романтики-торопыги во всем. С ними ва-а-ще интересно!

Бессовестные транжиры. Могут уйти за хлебом, а вернуться с букетом цветов, купленным на последние деньги. Полезные помощники для тех, кто время от времени занимается оздоровительным голоданием.

Эти люди — бесценный подарок для любителей экстремальной жизни. Это прииски по «добыванию» одержимых героев.

Минусы: буйно помешанная семья. Натуральный дурдом! Частые фингалы под моргалами!

Холерик + сангвиник

Гороскоп: трясогузка + пудель.

Потомство: придумайте название сами.

Плюсы: такие же романтики, но усиленные уравновешенностью сангвиника. Интересная семья, о-очень интересная. Это букет воздушных шариков холерика в надежных руках сангвиника!

Семья, которая постоянно создает проблемы на свою голову и часто с гордостью выходит победителем. Жить в такой семье интересно.

Театры, концерты, романтические путешествия планируются и более-менее обеспечиваются экономически.

Минусы: как-никак сангвиник отличается средним запасом прочности терпения. А вот когда холерик, как всегда, доведет сангвиника до белого каления, то холерику несдобровать! Эта тенденция может повлиять на здоровье последнего в худшую сторону.

Холерик + флегматик

Гороскоп: трясогузка + барсук. Вот извращенцы!

Потомство: трясобарсуки и трясобарсучки.

Плюсы: буйство + спокойствие = уравновешенность.

Огонь, соприкасаясь со льдом, растапливает его и дает воду — основу жизни.

Хозяйственность флегматика + транжирство холерика = в тумбочке всегда что-то есть! Со временем становится так: муж и жена — одна сатана.

Получается холерический флегматик и флегматичный холерик! Истинный флегматик — настоящий подарок для холерика.

Минусы: флегматик может терпеть до конца это чудо природы, но если терпение лопнуло и он решается на развод, то никаким танком его не остановишь!

Холерик для флегматика — божье наказание.

Холерик + меланхолик
Гороскоп: Буратино + Пьеро
Потомство: сотрудники деревообрабатывающей фабрики.

Плюсы: Буратино всегда нос держит по ветру в доме и вверх на улице!

Пыхтя, тащит состав, загруженный выдуманными Пьеро проблемами. Это и уравновешивает семью.

Минусы: ходить в гости в такой дом не очень-то хочется.

Пьеро везде и во всем испускает пузырьки из носа:
— Где моя Мальви-и-на-а-а?!
Холерик может погибнуть в болоте меланхолика.
Больше не хочу вас пугать, поэтому быстро идем дальше.

Сангвиник + сангвиник
Гороскоп: пудель + пудель
Потомство: проверьте сами.
Плюсы: устойчивая, мощная, очень динамичная семья полудипломатов.

29

Минусы: опасность — период формирования и выбора главы семьи может превратиться в арену для боев без правил. Он может стать кобелем, она — сукой.

Сангвиник + флегматик
Гороскоп: пудель + барсук

Потомство: ну и нора! Собачья верность в сочетании с хозяйственностью барсука, временами впадающего в спячку.

Плюсы: очень устойчивая семья, семья ванька-встанька!

Единственная опасность для этой семьи — зависть других людей. Это экономически устойчивое хозяйство. Однако здесь есть одно но...

Минусы: забудьте о сумасшедшей, бурной романтике.

Вам выбирать, что лучше: короткий бурный весенний ливень, который может закончиться засухой, как у холериков, или спокойный теплый летний дождь, несущий плодородие.

Сангвиник + меланхолик
Гороскоп: пудель Артемон + Пьеро

Потомство: Мальвины и Мальвинки

Плюсы: погода в семье — хоть и бабье, но все-таки лето.

Минусы: вечная осень.

Флегматик + флегматик
Гороскоп: медведь + барсучка

Потомство: хозяйственники без излишней романтики.

Плюсы: спокойная, хлебосольная, хозяйственная семья, в которой всегда все члены семьи, стоя пятой точкой кверху, копаются в семейном огороде.

Минусы: они могут спать от сезона до сезона.

Флегматик + меланхолик

Гороскоп: барсук + нюня

Потомство: Бог знает кто!

Плюсы: один хнычет, другой не слышит, и все заняты любимым делом.

Минусы: тихо-убойная семья!

Меланхолик + меланхолик

Гороскоп: Пьеро + Пьеро

Потомство: в природе не было случаев, чтобы у однополых родителей рождались дети!

Плюсы: образец для неподражания, чтобы всякая недовольная семья имела счастье увидеть чужое несчастье!

Такие семьи обычно встречаются крайне редко, потому что до бракосочетания успевают что-нибудь плохое найти друг в друге!

ГАРМОНИЯ
супружеских отношений

Как же достигнуть гармонии в супружеских отношениях и как ее сохранить?

Для этого существуют определенные правила, изложенные в дошедшей до нас древней книге «Канон семейного счастья». Они звучат как набор запретов, заповедей и предостережений.

Вот СЕМЬ ГЛАВНЕЙШИХ ЗАПРЕТОВ И ЗАПОВЕДЕЙ в переводе, близком к тексту оригинала.

Итак:

1. **Запрещается** на сорок первый день после свадьбы быть мужем и женой. Супругам надлежит каждый сороковой день становиться женихом и невестой и каждый раз готовиться к предстоящей свадьбе без гостей.

2. **Запрещается** невесте каждый сорок первый день (со дня свадьбы) оставлять свою внешность без изменений.

3. Запрещается постоянно использовать одни и те же благовония.

4. Запрещается супругам больше сорока дней спать в той же постели и оставлять ее на прежнем месте.

5. Запрещается принимать кушанья из рук одного и того же повара, который обслуживал вас в течение сорока дней.

6. Запрещается каждые сорок дней после свадьбы стареть душой. Нельзя семейное счастье пускать на самотек, полагая, что ваш супруг или супруга и так никуда от вас не денется.

7. Главная заповедь: соблюдайте хотя бы некоторые из этих запретов в течение всей жизни.

Вы заметили, уважаемые дамы, что камешки брошены в ваш огород?

А почему?..

В одной древней притче сказано, что мужчина, если он, конечно, мужчина, должен в первую очередь думать о своей супруге.

И если на свадьбу приглашают только одного из супругов, то муж должен спросить жену: «Не пойдешь ли вместо меня?»

Да и так во всем: муж должен думать прежде о своей жене, а потом уже о себе.

Даже тогда, когда смерть постучится в супружеский дом.

Вот по этой причине и нельзя нарушать мужской закон. Шучу!

А вы не задавались вопросом, почему это говорят: все невесты хороши, но откуда берутся плохие жены?..

Милые дамы!

Мужчины, как домашние животные, очень легко поддаются дрессировке. Только запомните, пожалуйста: при помощи пря-я-ника и ни в коем случае — кнута.

Но вы можете возразить: надоел он мне, и почему это я должна ему служить, пусть он заботится о том, чтобы мне было хорошо, ведь я — женщина.

Можете говорить о нем, что он такой-сякой, не такой, как все другие мужчины. Отвечу как мужчина: вы — ошибаетесь!

Однажды Бог спросил у женщины:
— Скажи, ты знаешь мужчину со многими недостатками, с гораздо большими, чем у других?
Она ответила:
— Да, — и указала на своего мужа.

Конечно, никто другой не знает о нем больше, чем вы, поэтому никто другой и не сможет его так возвысить или унизить, как вы.

Но запомните.

Раз или два униженный, он со временем будет чувствовать себя таким всегда. В нем укрепятся те отрицательные качества, о которых вы постоянно ему говорите. И в результате он действительно станет таким!

И наоборот.

Постоянно возвышая его, приписывая те качества, которые в нем не очень развиты или вообще отсутст-

вуют, но **вы** хотите их развить, часто хваля его, поднимая его авторитет в присутствии близких, знакомых, друзей, вы увидите, что у него вырастут крылья за спиной. Он будет дорожить вами и буквально носить на руках.

Потому что, несмотря на мужественное телосложение, силу и мощь, все мужчины одинаково беспомощны — против вашего очарования, нежности, терпимости, гибкости, способности понять и умения любить. Это я говорю вам как мужчина!

Так покажите на деле свои таланты!

А хотите, раскрою вам глаза еще на некоторые особенности мужчин.

Красота — это огромная сила, милые читательницы, но надо помнить, что красота и сексуальная привлекательность — разные вещи.

У каждого мужчины есть свой идеал сексуально привлекательной женщины. У двух мужчин он ре-едко может совпадать!

Например, для одного моего близкого друга признак идеала женской красоты — маленький рост. Тощие и длинные мисс-кис-пис, участницы различных конкурсов красоты, не вызывают у него никаких желаний. Да он просто-напросто не может даже представить себя мужем такой «баскетболистки»!

Я достаточно долго среди мужчин проводил специальные исследования, анкетирования и тестирования. И результаты полностью подтвердили эту мысль.

Так что, милые толстушки, зубочистки, кривоножки и, конечно, красавицы большого размера, каждую из вас ищет — и обязательно найдет! — именно тот,

единственный, который знает, что вы — самая красивая в мире.

Только тут дам вам одну рекомендацию: не засижи-
вайтесь в ожидании, действуйте сами!

Вот мы и подошли к **первому запрету.**

Подумайте, за какие такие особенности ваш близ-
кий человек — муж или друг полюбил вас?

Вот представьте, ваш любимый по каким-то причинам охладевает к вам, становится другим. Это значит — настало самое время!

Экстренно проведите разведку, узнайте, на что он
тогда обратил внимание, за что вас полюбил и женил-
ся. Вот именно эти качества и развивайте, развивайте,
развивайте...

Если он скажет: «А помнишь, моя кровососочка,
ты когда-то немножко хромала на одну ногу? Это было неотразимо!» — старайтесь перед ним почаще при-
храмывать.

Если же он считает, что вы очень красиво щури-
лись, будучи невестой, смелее — косите еще больше.
Успех вам гарантирую! Другими словами, найдите его
слабое место — и вперед! Это первое.

Второе. Срочно вернитесь в роль девушки, которая
бегает на свидания к своему возлюбленному. Вспомните
свою мягкость, отходчивость, дипломатичность, как
иногда через силу прощали его глупые поступки и слова.

Как вы прекрасно скрывали свою обиду, злость и,
Боже упаси (!), сквернословие. И как при этом он себя галантно вел. А сейчас что изменилось? Какая кош-
ка между вами пробежала?

Милые читательницы, вы должны знать, что у
каждого мужчины на носу весы. Когда он видит краси-

вую женщину, то бессознательно на одну чашечку весов помещает вас, а на другую — ее и начинает сравнивать.

Теперь представьте: она — нарядная, ухоженная, красивая и т.д. А вас-то он вспоминает в домашней обстановке.

В каком виде вы ходите-то по дому?

Давайте возьмем один из худших вариантов. На плечах — халат из исторического музея, на ногах — элегантные, слегка прохудившиеся лапти, в которых вы исходили всю Сибирь вдоль и поперек, не снимая.

А волосы. Какие волосы?! От зависти просто все ведьмы и бабки-ежки плачут!

О тусклости глаз просто неудобно говорить.

И в таком виде вы гуляете перед его очами: шарк-шарк — вперед, шарк-шарк — назад, в нижнем белье! Хорошо, если оно еще красивое, а если нет — опять проиграли.

А он смотрит на вас и тихо вздыхает. Вспоминает тех красавиц! Не подозревая, что и те дуры дома ходят, скорее всего, в таком же виде.

Не забывайте, пожалуйста, что до свадьбы он видел вас в другом виде и влюблен был в ту женщину, какой вы были тогда. Эту тему можно продолжать бесконечно. Продолжите ее сами. Так будет лучше и полезней для вас.

А теперь вопрос на засыпку: так сколько раз по сорок дней прошло после вашей свадьбы? Столько раз вы окунулись в болото повседневности. Посчитали?..

Не теряйте больше ни минуты и как можно быстрее **входите в роль невесты**. Играйте ее искренне, от всей души и обновляйте эту роль каждые сорок дней. Пусть эта роль станет вашей сутью!

Теперь давайте перейдем ко **второму запрету.**

Почему древними книгами предписывается менять внешность через каждые сорок дней?

Мужчины полигамны от природы. Это заложено генетически!

Если бы мы с вами произошли от голубей, лебедей или каких-то прекрасных животных, которые всю жизнь живут в паре... Но мы-то с вами, мужики, не далеко ушли от обезьяньего стада. Понимаете?

О женщинах мы не смеем так говорить!

Человек не так далеко ушел от своих предков. А как эти наши предки-мужчины живут в природе?

На одного или несколько самцов — целый гарем самок, не так ли? Вы где-нибудь видели, чтобы было наоборот — одна самка и гарем самцов?

Да они (самцы) просто сожрут друг друга!

Так куда исчезли эти инстинкты, стремление к полигамии?

Да никуда они не исчезли. Просто под натиском законов, морали, запретов, под диктатом разума ушли в глубину, в подсознание.

Вот где заметны истинные страдания мужчин! И вот почему, предвидя возможные неприятности для мужчин, связанные с полигамностью (венерические заболевания и т.д.), — телесные и духовные, еще в древности мудрецы и **предписывали женщинам меняться внешне для утоления мужской жажды к полигамии.**

Конечно, существуют мужчины, всю жизнь живущие с той единственной, без которой не представляют себя. И при этом даже в мыслях не испытывают влечения к другим женщинам, но, к великому сожалению, таких мужчин очень мало.

Как-никак, тестирование семи тысяч мужчин — это убедительный факт, вы согласны?..

Так как же быть с таким мужчиной?

Мужчина изначально, как бы ни любил свою жену, терпит ее за то, что считает лучше всех.

Теперь следующее...

Когда мужчина загулял...

Мужчина гуляет в двух формах. В первой — когда он гуляет телом. Ну, просто где-то кого-то увидел, переспали — и он пришел домой... В этом случае мужчина соверше-е-нно не чувствует себя виноватым. Он невиновен и все!

— Ну и загулял. А что?! За что это ты на меня обижаешься?!

Мужики, вопрос к вам: вы себя виноватыми чувствуете?

— Нет! Никогда!..

Даже если вы его поймали, он не признается в своей вине. Но это, я подчеркиваю, когда муж гуляет **только телом**, совесть у него чистая. Он же пришел домой к своей любимой жене!

И если скажет: «Прости, это было случайно», — знайте, что это так! В этот момент, если вы станете обвинять его, он вас возненавидит: «За что ты меня обвиняешь?!!»

А вот, Боже упаси, если мужчина загуляет душой!

Если во время секса он подключает душу, извините, пожалуйста, никакая сила его не удержит возле жены! Он разводится и уходит.

Учтите — такова особенность мужчины!

Запомнили, да? Раз с вами живет — значит, он вас любит!

Незнание такой мужской особенности, милые дамы, часто приводит к разрывам.

Он ведь не только хочет быть вашим мужем, но хочет иметь гарем.

Поэтому **ваша задача стать для него гаремом!**

Представьте, приходит ваш супруг домой, открывает дверь, а там, о Боже!.. жена с другой внешностью.

Ну можно же немного и пофантазировать!..

Вот именно здесь мы хотели бы представить вам отрывок из анкет для мужчин.

«**Вопрос**: *Каково ваше состояние, когда вы ждете жену перед выходом из дома в театр или в гости, а она, надев новое платье, подушившись изысканными духами, с новой праздничной прической выходит из дома?*

а) первая ваша реакция;
б) последующие ваши мысли и действия;
в) скрытые ваши мысли и желания».

А теперь обратите внимание на процентное соотношение ответов:

а) 82% — ну, наконец-то!
   10% — нарядилась для других!
    8% — не замечают ничего нового.

б) 84% — гордость за ее внешность и желание ее поцеловать, сделать комплимент от всей души;
    7% — затрудняюсь ответить;
    9% — привык видеть ее всегда такой.

в) 79% — пропало желание идти, куда собирались, хочется взять ее на руки и отнести в спальню;

14% — погладить по спине и кое-каким другим местам, поцеловать;

7% — не знаю.

В этой анкете было более тридцати вопросов, но ответы на них говорят об одном: внешность любимой играет решающую роль.

Повышенное внимание, сексуальное влечение, чувство любви особенно ярко проявляются после преображения вашей внешности.

Это происходит на глубинных уровнях подсознания, когда ваш любимый видит что-то новое, другое, чего раньше не было в вас, и это пробуждает его к жизни.

Мужчина любит глазами. Сделайте для себя выводы, милые дамы!

А теперь, наверное, вам понятно, **почему запрещено находиться в той же постели больше сорока дней?**

Только на всякий случай оговорюсь: имеется в виду не смена белья раз в сорок дней, а цвет! Имейте в виду, цвет вашей постели играет огромную роль.

Например, ваш супруг, как обычно, вечером, потягиваясь и зевая, подходит к постели, чтобы упасть после трудового дня и уснуть, а там лежит женщина...

Не пугайтесь, это вы в новом белье и другом облике!

Да еще постель какая-то другая, другого цвета! Вот это сюрприз!

Сон как рукой сняло...

Или лучше того. Представьте себе, ваш муж, как обычно, входит в спальню и по привычке, на автопилоте, поворачивает налево, а кровати там нет!

Тут же широко раскрыв глаза, он вдруг обнаруживает ее совершенно в другом месте.

И опять ему становится не до сна. Только он вспомнит про свою любимую храпушку, извините, подушку, а вы тут как тут — с новым лицом... Вот повезло-то!

Другими словами, милые дамы, привлекайте весь свой талант и изобретательность для того, чтобы ваш любимый не привыкал к вам в постели и не относился к вам, как к запасной подушке.

Все зависит от вас!

А зачем нам менять **повара**, тем более если его вообще нет?

Смысл здесь таков: периодически надо резко обновлять вкусовые качества блюд. Не будем много говорить о том, что путь к сердцу мужчины лежит через желудок, но не забывайте эту извечную истину.

Очень давно великий Фирдоуси сказал: «*О женщина, если ты хочешь, чтобы супруг твой находился около семейного очага и поддерживал его огонь, создай ему такое блаженство, чтобы равного он не мог найти нигде!*»

А если ваш муж настолько надоел вам, что нет ни сил, ни желания даже видеть его, то поступите так, как советуют тысячелетние мудрецы в книге «Канон семейного счастья»:

— *О женщина, если ты сидишь у потухшего очага любви и нет дверей у семейного дома, чтобы уйти, если стало ненавистно тебе лицо супруга, то укажем тебе единственный путь: сделай так, чтобы он тебя носил на* голове, и ты навсегда избавишься от необходимости смотреть на него и не увидишь его презренных глаз.

Последний шестой запрет не требует никаких комментариев.

Дорогие мои, не совершайте, пожалуйста, ошибок, за которые получают наказание в виде одиночества.

Не думайте, что раз проставлены подписи в книге бракосочетаний, то теперь он ваш и никуда не денется. Это глубокое заблуждение!

Счастье нужно создавать своими руками и постоянно поддерживать, чтобы факел любви горел красивым пламенем, освещая и согревая все вокруг.

А теперь, мои хорошие, переходим к любви!

СЛЮБОВЬ

Классификация любви:

Ложная тренировочная любовь — в основном бывает в юности, когда чаще всего путают желание... (сами поставьте какое-нибудь вульгарное слово) с истинным чувством, и у сексуально неудовлетворенных людей, которые долгое время соблюдали пост воздержания. Особо опасна для брака.

Вместо свадьбы — «улица красных фонарей». Здесь нет семьи.

Гражданский брак — квартира с «красным фонарем», вернее, панельный дом — форма проституции, созданная трусливыми людьми, которые боятся венерических заболеваний, но хочется...

Создается слабыми духом людьми, трусами, которые боятся взять на себя ответственность за будущее другого человека, за будущее детей.

Такая семья, можно сказать, потенциально не существующая. Люди в такой семье ничем друг другу не обязаны, и такая семья создается с изначальным подсознательно-сознательно заложенным планом «разбежаться» в любой момент.

Эгоистическая любовь — это когда ты не хочешь себя утруждать, а чтобы любили тебя, тебя и опять тебя, и всегда только тебя.

Потому что вы являетесь несчастьем своей второй половинки. Это вы — исчадие ада — создали такое зло, как ревность. Вот из-за этого я тоже вас...

Узнаете себя, вампирчик вы наш?!

Жертвенная любовь — когда один человек полностью подстраивает свою жизнь под жизнь другого человека, постоянно подавляя свои потребности в угоду потребностям второй половины.

Но если это взаимно — это и есть истинная любовь.

Подлая «любовь» — напишите сами.

Любовь до свадьбы — формируется на нейтральной территории: клубы, бары, рестораны, дискотеки и в других местах скоТпления людей!

А вот после сва-а-дьбы...

Эта рафинированная любовь-белоручка с маникюром и макияжем встречается с бытом — картофельными очистками, немытыми тарелками и прочими трудностями.

Тогда вдруг обнаруживается, что твой объект любви может ходить непричесанным, с «грязным воротником» на трусах, без ресторанного макияжа. И когда утрачивается искусственно наведенный лоск, то, прямо скажем, нужно быть готовым к тому, чтобы оказаться свидетелем подобного!

Да еще вместо отцовского одеколона или дорогих маминых духов вдруг начинает проявляться естественный запах рабочей лошади.

Или когда любимый спросонья, еще не почистив зубы, начинает на ушко нашептывать нежные слова — такая любовь, как эта, быстро развеивается.

Любовь после свадьбы

Есть особая любовь, которую желаю каждому из вас, — она становится крепче год от года.

Со временем наступает такой момент, когда думаешь «я», и это означает «мы».

Когда ты не видишь супруга или супругу, но не отделяешь себя от него или нее. Когда любое ее желание — это твое желание.

Когда у вас нет никаких секретов, но вы друг для друга остаетесь тайной, когда вы не служите опорой друг другу, но составляете единое целое.

Когда с работы летите домой на крыльях, и вам дома хорошо, как нигде...

Кажется, я описал свою семью.

Только прошу вас, пожалуйста, не завидуйте, ведь я вам желаю такой же семьи!

А дальше продолжите сами расшифровку типов любви.

Например:

после рождения детей,

до рождения детей,

ради рождения детей,

вместо рождения детей и т.д.

СЕКСуальные причины распада семьи

Причин бывает до хрена.

(Я сейчас сказал о растении, которое очень сильно разрастается, а вы о чем подумали?!)

Вот несколько из них.

Пропуски заполните сами.

Задание для самостоятельной работы.

1. Применение сексуального обрЕзования, полученного на партийно-профсоюзных собраниях, в семейной жизни!

Анализ: ...

Рекомендации: ...

Решение проблем: ...

2. Дворовый сексуальный опыт, приобретенный методом тыкаНИЯ!

Анализ: ...
Рекомендации: ...
Решение проблем: ...

3. Когда «хочу» постепенно переходит в форму «надо».
Анализ: ...
Рекомендации: ...
Решение проблем: ...

4. Желание одного партнера пресекается другим.
Анализ: ...
Рекомендации: ...
Решение проблем: ...

5. Когда свои фантазии каждый держит при себе.
Анализ: ...
Рекомендации: ...
Решение проблем: ...

6...
7...
...
97.

Вот здесь я хочу себе сказать: «СТОП!»

Кажется, я начал затрагивать тему своей будущей книги **«Замужем, но хочется...».**

Мне не хотелось бы повторяться, поэтому остановлю здесь свои рассуждения. В той книге все будет разложено по полочкам.

Метод устранения дисгармонии в семье, метод поиска и нахождения гармонии на основе опыта нашей школы я обобщил в книге **«Секреты кузькиной бабушки, или Азбука тайных наук».** Поэтому о столь серьезных вещах вскользь, в шутливой форме говорить не буду.

Причины распада семьи, которые мы с вами рассмотрим:
Духовная
Психологическая
Социальная
Религиозная
Национальная
Культурная
Экономическая
Биоритмы
Традиции
Интеллектуальная
Общественная
Политическая
Энергетическая
и т.д.

Но прежде всего я хотел бы остановиться на самой заразной форме распада семьи.

Условно будем называть ее энергетическим порабощением: это когда **МУЖ ИЛИ ЖЕНА УВОДцТСц В МНОГОСТРАДАЛЬНОЕ РАБСТВО.**

Например, какая-то женщина влюбилась в женатого мужчину и хочет увести его из семьи.

Часто бывает так, что дух, желания, стремления такой женщины настолько велики, а ее намерения и действия настолько конкретизированы, что он элементарно может оказаться в рабстве. Вожделение той женщины может увести мужчину из семьи. Верите, не верите — это ничего не меняет!

А теперь, мои родненькие бедолаги, у которых подобное несчастье произошло, хорошенько прочтите следующее и сравните со своими ощущениями.

Скажу о состоянии мужчины.

Первый признак того, что это «инфекционное заболевание», навязанное извне, вас настигло, заключается в том, что такой мужчина не находит себе места ни рядом с «возлюбленной», ни вдали от нее.

Ради той женщины он может бросить все! Разрушить свою семью и уйти к ней, может даже жениться на ней, но в то же время, живя там, он постоянно интуитивно будет искать возможность уйти.

Этот мужчина будет искать тысячи и тысячи поводов, чтобы разорвать новые отношения, освободиться, оставить эту женщину.

Но как только он удалится на некоторое расстояние от «возлюбленной», его тут же начинает тянуть обратно.

У таких мужчин со временем возникают нервные расстройства и расцветает целый букет различных заболеваний.

Вот почему существует заповедь — не возжелай!..

С желаниями нужно быть очень осторожными, они могут вас погубить.

Яркое, четкое, ясное желание энергетического вампира обладать вами может разрушить вашу судьбу, вашу семью.

Особенно это касается мужчин, потому что среди женщин энергетические вампиры встречаются очень часто.

Подумайте об этом.

Если вы не реализованы в жизни, вы для этих вампиров не представляете никакого интереса.

Не приходилось ли вам замечать, что происходит, когда какой-нибудь человек экономически поднимается?

Вот он рос, рос, а потом — бамс — и семья распалась! Видели такое?

Да очень часто такое встречается!

Запомните, по мере того как вы начинаете чего-то достигать в жизни, в вашем окружении обязательно найдутся люди-паразиты.

Есть люди — генераторы идей, есть люди — потребители, есть люди — созидатели, а есть люди, гороскоп которых — «по восточному календарю» — блоха, «по европейскому» — вошь, а по «месяцу» — клещ. В общей сложности получился вампир.

Ворами рождаются, к вашему сведению! Это генетически заложенная форма «шизофрении». Значит, энергетическими вампирами тоже рождаются.

Ваша задача — изучить симптомы такой опасной болезни.

Если вы вдруг увлеклись какой-то женщиной, уважаемые мужчины, или каким-то мужчиной, дорогие дамы, и рядом с этим человеком вы постоянно чувствуете какое-то ле-е-гкое угнетенное состояние, это — первый сигнал.

Если рядом с этим человеком вы все время думаете о своей семье, а возвращаясь назад, домой, вам хочется снова уйти, вот такая «любовь» — это уже любовь жертвы к вампиру. Запомните это навсегда!

Когда любишь по-настоящему, то хочешь раствориться в любимом человеке. А если это искусственно навязанное вам рабство, то вы нигде места себе не найдете.

Это и есть любовь на расстоянии, это и есть стремление на расстоянии, запомнили?! Такие силы существуют!

Как это делается? Испокон веков существует даже целая индустрия и сеть специалистов: привора-а-живающие, отвора-а-живающие, приви-и-нчивающие, отви-и-нчивающие.

Но эти профессии — прокляты храмами во всех религиях. Так же как работорговля, они являются самым низким, подлым и грязным занятием, поскольку привораживание ничем не отличается от нее.

А вот освобождением от таких оков рабства храмы занимаются, дай Бог им процветания, а служителям — здоровья!

Итак, еще раз **симптомы.**

У «заболевшего» наблюдается странное поведение: любовь к новой семье или подруге усиливается на расстоянии и уменьшается по мере приближения к источнику своего рабства.

Рядом с «возлюбленной» усиливается состояние угнетенности, прерываемое недолгим забвением во время каких-нибудь развлечений, но ощущение угнетенности и опустошенности при этом присутствует подсознательно.

Ему хочется возвратиться в свою прежнюю семью, но что-то его удерживает, а здесь оставаться тоже невыносимо. И он постепенно начинает чахнуть, или у него появляются какие-то дурные привычки.

А как тогда защищаться?

Есть специалисты, которые умеют это делать. Но будьте бдительны: специалист специалисту рознь. Могу порекомендовать диагностировать свое состояние по чувствам. Подробно об этом мы с вами поговорим в другой раз.

Во всяком случае, вам всегда надо следить за гигиеной души, быть наблюдательным и делать соответствующие выводы. Особенно в момент общего подъема, в момент экономического роста вы легко можете стать источником возжелания.

Если вы заметите у себя такие симптомы, будьте добры, каким бы вы ученым-материалистом ни были, зайдите к такому специалисту или священнослужителю, который этим занимается.

Уверяю вас, пелена с глаз спадет, и вы увидите, где ваша истинная семья, истинное счастье. Но учтите, что запущенность болезни играет свою роль, поэтому действуйте безотлагательно. Откуда я это знаю?

Практика, родные мои, практика! Так что следите, пожалуйста, за гигиеной своей души.

Зависть, ненависть, вожделение – МАТЕРИАЛЬНЫ

Людскую зависть, ненависть, неприязнь и вообще любые отрицательные эмоции можно ощутить, буквально пощупать, точно так же, как вы можете потрогать стулья, кресла, столы. Чувства тоже материальны!

На Востоке есть специалисты, которые могут «видеть», ощущать эти состояния. Их чувствительность тренируют с детских лет.

А вам самим разве не приходилось убеждаться в том, что самое сильное, искреннее, чистое желание, исходящее от сердца, создает вокруг вас благодать?

И самые глубокие, сильные переживания обиды, злобы, агрессии, ненависти, зависти способны разрушать все живое!

Если кто-то ненавидит всем сердцем, знайте, стрелы ненависти имеют свойства разрушать. Берегите себя и старайтесь под эти стрелы не попадать.

Для людских мыслей не существует расстояний. Мысли материальны и вездесущи. Хотите убедиться? Читайте анекдот.

Жена приходит домой и говорит:

— Муженек! Муженек! Знаешь, я так рада! Сегодня все женщины в нашем колхозе только и говорят, что ты будешь председателем.

— Како-о-й там! Я тридцать лет работаю в этом колхозе бригадиром. Какой там председатель?!

А на следующий день — собрание. Его избирают председателем. Через какое-то время супруга, такая радостная, такая радостная, сообщает:

— Все говорят, что ты будешь мэром района!

— Да что ты мелешь, я только что из района приехал. Меня там так отчихвостили! С землей смешали! О чем ты?!

И через какое-то его избирают мэром района. Он уже-е крепко встал на ноги. Хозяин!

Однажды приходит домой, а жена сидит вся в слезах и всхлипывает.

Он и спрашивает:

— Ты что, дура?

— Женщины говорят, что тебя скоро посадят.

— Кто может меня посадить? На сегодняшний день прокурор — свой человек, судья — свой человек. Все уже в моих руках!

И случилось так — его посадили. Она приходит к нему на очередное свидание и говорит:

— Слышь, я поговорила с прокурором, они обещали, что тебя скоро отпустят.

— Послушай, не говори, что они обещают. Скажи, что женщины-то твои говорят?!

Людские чувства, людские мнения имеют огромную силу!

Мысли людей, любовь людей, ненависть людей имеют свойство аккумулироваться. Особенно если внимание миллионов людей, их любовь или ненависть направлены на одного человека и аккумулируются в нем, то этот человек или будет долго жить и царствовать, или будет сгорать, как фитиль!

Вспомните пример из истории: Сталина любили?

Да, тех, кто любил Сталина, было больше. И люди шли в атаку, на верную смерть, с кличем: «За Родину, за Сталина!»

Но были и те, которые ненавидели его за несправедливость.

Сколько лет он был у власти?

Почти тридцать лет!

А с чем он ушел из жизни?

С «поражением» мозга.

А Гитлер, как он начинал?

Каким он был, а в кого за несколько лет превратился и как ушел из жизни — вы можете увидеть по кадрам кинохроники!

Всего за несколько лет он стал полным маразматиком! Полностью разрушился изнутри. А почему?

Да потому, что он просто-напросто превратился в «мусорный ящик», куда люди бросали всю свою боль, ненависть и презрение!

Проклятья людей — сверхразрушительны! Эмоции могут быть как сверхразрушительны, так и сверхсозидательны. Поэтому если вы не можете вызвать к себе любовь и уважение окружающих, то постарайтесь, чтобы люди вас хотя бы не замечали.

Пожалуйста, старайтесь не вызывать в свой адрес ненависть. Не надо с этим шутить!

Есть такое переваливание добра и зла. Если любящих вас людей хоть на несколько человек больше, чем недолюбливающих, вы будете держаться на плаву и не будете раньше времени разрушаться.

Если тех людей, которые вас не любят, хоть на пару человек больше, все — вы раньше времени начнете разрушаться.

Как-то я провел исследование группы бывших работников казино. Именно то, что они там работали, и погубило их жизнь. Почему это произошло?

Потому что игрок, который проигрывает, всю свою неприязнь, ненависть, злость, боль, разочарование огромным потоком изливает на тех работников казино, которых видит перед собой.

Свой проигрыш, свое несчастье, свою боль он связывает именно с этими людьми.

И что происходит?

Их жизнь превращается в ад!

Этим что хочу сказать?

Мысли, пропущенные через эмоции, слова, сказанные в сердцах или от всего сердца, имеют свойство очень быстро материализоваться. И если раньше на это требовалось сорок лет, то сейчас — не более сорока дней!

Так какие у вас мысли и чувства, дорогие читатели, добрые или злые?..

А вы знаете, что мысли можно фотографировать?

Вот сейчас подумайте о жирафах. Подумали?

Все! Ваши мысли вылетели и, как пулеметная очередь, ушли в сторону Африки!

Вы можете не принимать мои слова или посчитать их фантазией, вы можете не придать этому большого значения, можете поспорить со мной, но суть от этого не изменится!

С вами разговаривает лабораторная крыса и ученый в одном лице, а не экстрасенс, которому когда-то упал кирпич на голову, и от удара у него выскочила некая антенна — связь с космосом!

В большинстве случаев я стараюсь исходить из фактов, а не из догадок. Мое время сомнений давно прошло!

Много лет назад у ребенка моей младшей сестры был сильнейший эписиндром. По пять-шесть раз в сутки бывали судороги вплоть до остановки дыхания!

За полтора года болезни уже не осталось ни одного детского центра, в который бы мы не обращались за помощью. И вот старшие мне сказали:

— Поезжай к такому-то специалисту.

А я, материалист такой, сопротивляюсь и говорю:

— Слушайте, не занимайтесь ерундой!

Но когда приступы участились и больше не стало сил смотреть на горе матери и страдания ребенка, я сдался. Решил, что отвезу их туда для очистки совести.

Каково же было мое изумление, когда одно-единственное мероприятие, проведенное специалистом, в буквальном смысле этого слова в тот же час как мечом отрезало эпилептические припадки?! Ребенок выздоровел!

Как я могу после этого не верить?!

Сначала был только этот случай. За ним — второй, третий, четвертый... Факты — страшная штука, вы согласны?

Потом я начал исследовать эти явления.

Такая возможность представилась несколько лет назад, когда сын того специалиста приехал работать в Москву.

Мы провели компьютерную диагностику его организма перед тем, как он начал работу с людьми и после ее окончания.

До начала занятий компьютер показывал, что он здоров.

Но потом...

Аппарат показал, что ни одного живого места у него не осталось, все кругом было черно. Кроме черного цвета, на экране ничего не было. Одним словом — ходячий труп.

Вторая и третья проверки показали то же самое.

Тогда он позвонил отцу и буквально со слезами на глазах сказал:

— Папа, у меня серьезная ситуация.

Отец его успокоил и сказал, что надо сделать.

Тогда он провел специальную процедуру, и после «очистки» мы сделали компьютерную диагностику еще раз.

Когда здоровому человеку делают компьютерную диагностику, там примерно на сто точек может быть одна-две точки желтого цвета. А здесь — сплошное желтое поле! И аппарат наконец пишет: «Пациент здоров».

Значит, когда он, такой специалист, снимает с вас «грязь», куда она уходит? Уходит к нему.

С детских лет таких специалистов обучают брать на себя, впитывать чужую отрицательную энергию, а потом передавать ее дальше своим Наставникам, которые умеют ее нейтрализовать.

Движение в этой «канализационной трубе» никогда не останавливается. Энергетическая грязь переходит от ученика к Наставнику, затем к Наставнику Наставника и т.д.

Если эту грязь с человека не снимать, то она накапливается, и буквально в течение трех лет человек погибает.

Вот почему обязательным условием здоровой жизни является соблюдение гигиены не только тела, но и гигиены души, гигиены сознания, контроль за своими мыслями, поступками, а также своевременное обращение к специалисту.

— Нельзя обижаться от всего сердца. Какую бы обиду тебе ни нанесли, никогда не опускай эмоцию ниже горла! — в свое время предупреждали меня мои Наставники.

— Ты можешь кричать, топать ногами, ругаться, но только на уровне горла — в сердце пропускать ни в коем случае нельзя! Если обидишься или разозлишься на кого-нибудь от всего сердца, можешь искалечить судьбу человека или даже погубить его.

За любые последствия своего поведения — поступка или действия — придется отвечать! Без всяких поблажек! И это касается абсолютно всех!

Так что будьте осторожны со своими эмоциями!

Раз мы пришли к понятию гигиены, позвольте рассказать вам о той гигиене, которую в целях самозащиты от всякой заразы, инфекции, существующей в обществе, испокон веков настоятельно рекомендуют наши Наставники.

Гигиена тела. Содержать тело в чистоте. Все участки, где возникают неприятные запахи, желательно очищать пять раз в день.

Гигиена сердца. Охрана сердца от всего, что не является добром.

Гигиена сознания. Защита башки от дурных мыслей.

Гигиена ушей. Ограждение своих ушек, размером с откормленный лопух, от сплетен, скверных слов, от не угодных доброте и чистоте историй.

Получается, что я только что вам рекомендовал не смотреть телевизор и не читать газеты! (Шутка!)

Гигиена рта. Если вы поняли буквально, то отнесли это к гигиене тела. Здесь же имеется в виду другое: берегите свой рот от сквернословия.

Вот видите, я попался. В этой книге я сам занимаюсь антигигиеной.

Родненькие мои, я вынужден нарушать правила, как-никак я медик, который с головой уходит в ваш кишечник между ушами и очень старается, чтобы вы вкусно и гигиенично перекусили, а если маловато, то и вдоволь культурно пожрали!

Гигиена глаз. Берегите глаза от возжеланий, зависти, ненависти и т.д.

Теперь понимаете, почему одна из заповедей во всех религиях «не возжелай»!

Гигиена одежды. Вот здесь у меня к вам претензий нет, потому что мы с вами вынуждены ее соблюдать.

Вот эти семь правил гигиены, которые на Востоке соблюдаются жестко. Для подавляющего большинства людей это стало стилем жизни, и они делают это незаметно для окружающих.

Теперь понимаете, почему на Востоке мало бань. Когда пять раз в день человек моется, после этого ходить в баню — это уже перебор.

И давайте не будем судить о гигиене Востока по тем людям, которые сидят на рынке! У них одно образование, одна культура, одна гигиена — на всех.

А теперь давайте поменяем тематику. Думаю, главное вы уже поняли.

Чтобы чувствовать себя защищенным от всякой физической или энергетической грязи, необходимо самим соблюдать чистоту как внешнюю, так и внутреннюю.

Вы же знаете закон: подобное притягивает подобное!

Ну что ж, продолжаем скакать «галопом по ЕвроПОпам»?

СГЛАЗ

Рассмотрим такое понятие — сглаз.

Как представитель науки скажу: сглаз не существует, ни с какого глаза.

Раз мы не можем что-то научно объяснить, значит, этого не существует! И со всей ответственностью ученого заявляю: ему нет места среди нас, доло-о-й из академических кругов!

Фу! Слава великой науке-инвалиду! Сглаз исчез!

Ан не-е-т! Этот гад затерялся где-то среди народа. Как бродил раньше, так и ходит до сих пор! Живуч!

А раз живет, значит, он есть! И между прочим, у всех народов! Почему-то это суеверие, этот опиумчик для народа есть у всех.

А в том, что сглаз есть, сам убедился несколько раз, когда в моей семье появился маленький «диктатор», которому все мы с восторгом служили и служим.

Когда ему исполнилось полгодика, мы решили поехать навестить родителей супруги и показать нашего младшего.

Моя мама была категорически против:

— Берегите ребенка! С шестимесячным ребенком ехать в дорогу?!

Но после долгих разговоров и объяснений она нехотя, отпустила.

На полпути, часа через полтора, мы остановились у придорожного рынка.

Дамочки, оставив ребенка мне, пошли за покупками.

Поворковав немного, мы — оба мужика — решили, что нам скучно, и собрались устроить вылазку на рынок.

Вышли из машины и гордой походкой пошли искать свою мамашу.

Многие продавщицы стали предлагать свои товары:

— Ой, какой ребенок! Купите что-нибудь!

Но одна из них оказала нам особую честь: вышла из-за прилавка и начала охать и ахать:

— Какой хороший ребенок! Какой красавчик! Какой спокойный! Какой улыбчивый! Дайте мне его подержать!

Не устоял: гордость отца ослепляет, и дал ребенка ей в руки. Она, прижимая его к груди, продолжала нахваливать:

— Мне бы такого дал Господь! — и т.д. и т.п.

Довольно долго постояли с ней и пошли в машину. Пришли и наши «затерявшиеся», я передал сына мамаше, сел за баранку, и мы поехали дальше.

Минут через пятнадцать что начало-о-сь!!! Ужас!

Рев, сплошной рев! Вы можете сказать, что детям свойственно плакать, но я своего сына знаю с момента рождения, и у него никогда такого рева не было.

Он вообще никогда не плакал, только хныкал, когда хотел сообщить нам: «Есть хочу, вы что, про меня забыли?»

Накормили, пеленочку поменяли и спим, а если не спим, то улыбаемся.

Почти два часа мы ехали, и он все время орал благим матом, не останавливаясь ни секунды, аж задыхаясь от плача.

У меня у самого началась истерика больше, чем у него. Пару раз чуть не устроил на дороге крупную аварию. Несколько раз останавливал машину и выбегал из нее, не выдерживая такого страдания.

Уважаемые родители, вы прекрасно понимаете, о чем я говорю!

Когда мы уже подъезжали к дому тещи, от усталости он уснул. И когда спящего малыша показали бабушке, она сказала:

— Что вы натворили с ребенком?! У него очень свежий сглаз!

Через некоторое время он проснулся, и «гала-концерт» возобновился.

В нашей семье медиков много, мы обследовали его и не обнаружили никаких заболеваний, но плач продолжался.

Отменив ночевку, мы поехали назад.

Подъехав к рынку, я остановился, вышел из машины и сделал то, что меня попросила сделать теща.

Не думайте, что я ругался там, нет. Просто сделал смешную, с точки зрения ученого, процедуру.

Ради ребенка, чтобы он успокоился, я был готов не только на дурацкий поступок, но и буквально сплясать на ушах! Я думаю, вы меня понимаете!

Вернулся в машину, сел за руль, стыдливо отводя взгляд от зеркала. Но ребенок, который проплакал весь день, через полчаса после этого успокоился. Факт есть факт!

Что получается?

Ни с того ни с сего плач начался, ни с того ни с сего прекратился. И главное, есть точка отсчета начала и конца проблемы.

Но я все равно на этом не успокоился.

Не останавливаясь, поехал к дому одного из своих Наставников. Его супруга — сильнейший лекарь. Их семья — это целая династия, где тайные знания из поколения в поколение передаются с молоком матери.

Мы не сказали о том, что произошло с ребенком, просто сообщили, что приехали в гости. А хозяйка после традиционного обмена любезностями говорит:

— Дайте посмотреть на нашего самого уважаемого гостя, который первый раз к нам пришел!

Мальчик спокойно спал. Она, взглянув на спящего малыша, сразу сказала:

— Ох, ох!! Где так успели ребенка сглазить?!

Итак, третий раз был поставлен один и тот же «диагноз». Единичное мнение можно было бы назвать случайностью. Два случая могли бы быть совпадением. А вот три — это уже похоже на закономерность.

А теперь я задам вопрос как ученый: так существует сглаз или нет?

Мы все с вами имеем энергетическую оболочку.

Но кроме плотного физического тела у каждого из нас есть тонкие тела, каждое из которых выполняет свою задачу.

Тонкие тела в совокупности образуют *ауру* человека, которую уже научились видеть, фотографировать и

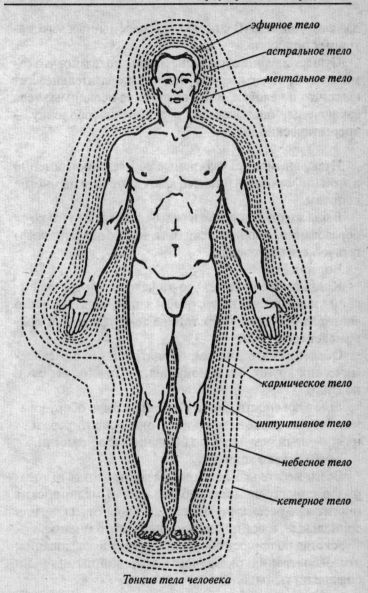

эфирное тело

астральное тело

ментальное тело

кармическое тело

интуитивное тело

небесное тело

кетерное тело

Тонкив тела человека

даже взвешивать (!) с помощью современных высоко-точных приборов.

Существование ауры ныне научно доказано, что само по себе поразительно, но еще поразительнее тот факт, что и человек, и все его тонкие невидимые тела заключены, оказывается, в защитную оболочку — энергетический кокон.

Итак, внимание, уважаемые собеседники, именно в этой информации и таится ключ к ответам на многие вопросы.

Ваша жизнь, здоровье и судьба зависят не только от образования, гуляния и жратвы, но и от вашего **энергетического состояния.**

Вот пример.

Когда вы желаете какого-то человека и все стремления направлены на то, чтобы заполучить его, — это «возжелание» пробивает тонкие тела человека и превращает его в раба.

Объяснить это языком, принятым в научно-академических кругах, не в моих силах. Почему, вы сами поймете.

Еще в древности, когда у людей не было оборудования, чтобы увидеть микробов, они ориентировались на конечный результат, но объяснить его не могли.

Зачем далеко ходить?

Всего несколько лет тому назад причины некоторых распространенных заболеваний в медицинских институтах рассматривались как экологические или социальные, и все придерживались этого мнения.

А когда появилось оборудование для исследования, эти заболевания оказались инфекционными — ни больше ни меньше.

Так что если сегодняшние технические возможности не позволяют нам что-то измерить, от этого микробы, вирусы или «энергетические, торсионные поля» не исчезнут, — мерзавцы!

Слава Богу, кое-какое движение вперед есть!

Вы знаете, что существуют большие паразиты, которых можно увидеть невооруженным глазом. Это мухи, комары, клещи, вши, блохи, соседи!

Есть и другие формы паразитов, которых невооруженным глазом увидеть трудно, но легко можно рассмотреть через микроскоп. Это простейшие: хламидии, трихомонады, кишечные палочки и другие «доброжелатели».

Если мы возьмем более мощное оборудование, скажем электронный микроскоп, то сможем разглядеть вирусы.

То есть современные технические возможности уже позволяют нам добраться до вирусов. А есть еще материальное и нематериальное, понимаете?

Все нематериальное мы выявляем только по конечному результату.

И многие жизненные неурядицы, дорогие мои, тоже передаются, к вашему сведению, «воздушно-капельным» путем.

Это я говорю вам как ученый, отвечая за каждое свое слово!

Трудно уберечься от инфекции, если постоянно ошиваешься среди больных.

Человек, постоянно работающий с людьми, у которых случаются жизненные неурядицы, возникают психологические или физиологические проблемы, обязательно должен следить за внешней и внутренней гигиеной, периодически проходить «очищение» у своего Наставника.

Если нет Наставника, который умеет «чистить», то этот человек проработает примерно два года. Его «мешка» для сбора грязи хватит как раз на этот промежуток времени.

В моей практике было два подобных печальных случая, которые не были связаны друг с другом.

Первый ученик проработал два года, и у него появилась ненасытность к деньгам, алчность к материальному.

И у второго началось то же самое.

Через некоторое время у одного из них появилась вторая жена на стороне, и у другого тоже.

И что же дальше?

У первого случилось нервное расстройство — почти два с половиной года не выходил из дома: из-за патологического страха сидел в своем сорокаоднокомнатном недостроенном доме, отрастил бороду чуть не до промежности. Со второй женой развелся, и с первой тоже чуть не разошлись.

Второй попал в психиатричку. Слава Богу, его родственница там работала. И врачи быстро смогли принять меры.

Не кажется ли вам, что эти случаи очень похожи?

Пренебрегая процедурой очищения, эти двое испоганили свою жизнь.

Теперь посмотрите, пожалуйста, на психиатров, которые долго работают с психически больными людьми.

Что происходит с ними?

Они начинают походить на своих пациентов, согласны?

С кем поведешься...

Невропатологи с годами сами становятся нервными, и очень часто у них появляется тоже «салям алейкум» в голове.

Этим что я хочу сказать, дорогие мои?!

Мысли людей материальны. Когда ты публично стоишь перед аудиторией слушателей, зрителей, когда они от тебя что-то хотят, ты очень в этот момент уязвим. Есть какие-то каналы, через которые они все равно забирают то, что хотят получить, и за два года они из тебя выжимают все соки.

А как это происходит?

Именно через их стремление, через их страстное желание.

После того неудачного опыта с двумя первыми моими учениками я стал составлять график. Заглядываю в свой «компьютер»: кого когда нужно почистить. Смотрю: «Та-а-к! Этого — через месяц! А этого — через неделю!»

Наступает момент. Я их как бы между делом вызываю, спрашиваю:

— Как дела, какие новости, какие трудности, пожелания?

В этот момент между делом в течение нескольких секунд провожу чистку — их грязь забираю на себя.

В первый момент я не ощущаю тяжести, но потом день-два чувствую себя глубоко больным, усталым человеком. Хотя об этом говорю первый раз за все эти годы. То, что я делаю, их не обязывает ни к чему.

Так же и мои Наставники снимают с меня груз и передают своим Наставникам, а те дальше...

А сейчас, уважаемые собеседники, еще несколько слов об этой книге.

Первая часть, которую вы уже прочли, написана строго по системе ускоренного обучения.

Вторая — текст десятилетней выдержки из прошлого издания, частично исправленный, с комментариями.

Третья часть, как плавное продолжение второй, — это фрагмент книги «Энергетическое здоровье». Местами, чтобы не мучить вас вычурной витиеватостью языка умных литераторов, пришлось ее сократить до минимума. Но некоторые «красивости» все-таки оставлены, чтобы вы, уважаемые читатели, научились отличать чужой текст от авторского.

В четвертой части — заключительное слово и беглое знакомство с материалом по теме энергетического здоровья, дошедшем до нас из глубины веков. Эту часть книги более широко постараюсь осветить в будущем, она остается за мной.

Ваш покорный слуга — не умный красивослов, а практик с тридцатилетним опытом.

ЧАСТЬ II

Любая хозяйка знает, сколько сил и времени отнимает генеральная уборка квартиры. Иногда на это уходит весь запас хорошего настроения и все время отдыха.

А что мешает справиться с этой работой за час?

Вот так бывает и с мыслями: вы бьетесь над решением какой-нибудь проблемы день, другой, третий — и ничего не выходит, а на четвертый — о, счастье! — все концы начинают сходиться, узлы развязываться (*как на шнурках*), а мысль обретать гибкость.

Результатом творческих поисков и страданий бывает вспышка озарения (*как синяк под глазом*), после которой можно свободно вздохнуть — наконец-то проблема решена.

А так хочется мыслить быстрее.

Садовод, опершись на лопату, обозревает рабочий участок — грядки вскопаны, удобрение добавлено, ботва убрана, урожай собран. (*Хотя зарплаты как не было, так и нет.*) Теперь остается пересадить малину, проложить дренаж, углубить водоотводную канаву, однако руки-ноги тяжелы, словно гири.

И нет сил подумать, как лучше организовать свой нелегкий труд.

Садовод устал и в изнеможении буквально ползет к дому. Наступил момент, когда он от усталости ничего не может и не хочет. (*Скажите, а кому нужен такой муж, который пахнет садовыми удобрениями и уже ни на что не способен?*)

А нельзя ли не уставать?

Можно. И в этом через самое короткое время может убедиться любой, кто всерьез задумается о своем **энергетическом здоровье.** Конечно, на время отложив все «срочные» и «самые срочные» дела.

Работая над собой, вы научитесь черпать энергию всюду, где только это возможно (*даже из канавы*), и с ее помощью благотворно влиять на свою жизнь и судьбу (*своих соседей!*).

Ведь главный успех кроется в том, что вы знаете, чего вы хотите достичь, и действуете в этом направлении.

Тогда не понадобится себя ни с кем сравнивать: ни со своими неутомимыми коллегами, ни со счастливыми соседями, ни с удачливыми знакомыми, которых вам, возможно, при любом удобном случае кто-то ставит в пример.

Ну а пока у соседки и малина крупнее, и земля жирнее, и песок на участке ей достался золотистый, мелкий, словно просеянный, а вам — серый, пополам с глиной. (*А вы продолжаете сохнуть от зависти?!*)

И даже уличный фонарь развернут к соседнему дому. Там вечерами светло-красно, как днем, а у вас темень кромешная, хоть глаз выколи, пока доберешься до двери. Да и за водой вам приходится ходить дальше.

А кто-то из родственников удачно устроился в одну из преуспевающих фирм. *(И слава Богу! Избавились от одного паразита на своей шее.)*

Проанализируйте свою жизнь.

Постарайтесь разобраться, почему вас редко посещает фортуна? Чего вам такого не хватает, что есть у людей успешных и удачливых? Денежек? А кто вам мешает тоже их иметь?

Изучайте себя!

Честный анализ и чистосердечный отчет перед самим собой обязательно откроют для вас «секреты», которые выведут вас на правильную дорогу.

Хотите одну подсказку? *(Но вначале позолотите ручку! Шучу!)*

Вы никогда не замечали, что к людям, активным и мобильным, энергичным и целенаправленным (*«как носорог»*), судьба действительно благосклонна?

Удача сопутствует им не только в бытовом плане, но и во всех делах и начинаниях. *(Наверное, они лотерейные билеты сами печатают!)*

Есть, к примеру, такие счастливчики, которых не только пули на войне боятся, но и кирпич, который решил упасть им на голову, вдруг почему-то отклоняется от своей траектории и пролетает мимо.

Другими словами, события их жизни выстраиваются самым оптимальным образом, и при этом кажется, что всё вокруг им помогает. Такие люди часто оставляют огромный след в истории человечества.

Это — великие мудрецы, полководцы, писатели, ученые, врачи, музыканты...

Хотя чаще встречаются другие — менее известные индивидуумы. Это про таких в народе говорят, что им сказочная жар-птица удачи сама в руки летит. А еще про таких говорят, что в рубашке родились.

Возьмите некоторых героев Второй мировой войны. Те, кто описывают их биографии, всплескивают руками. По логике вещей, пройдя через такое множество кровопролитных сражений, практически невозможно было уцелеть.

И тем не менее многие вернулись с полей сражений, не получив ни единой царапины.

Известны даже случаи, когда люди оставались целыми и невредимыми, трижды пройдя через штрафбат. (*Потому что суд Божий и человеческий — это разные справедливости.*)

Сейчас феномен удачи исследуется учеными. И на эту тему написано множество книг.

Одно лишь хочу сказать: если кто-то смог стать счастливым, успешным и удачливым, значит, и вы сможете им стать! *Главное — действовать!*

Никогда ни одно действие не бывает бесплодным! (*Не так ли, мужики!*)

Важно — приступая к занятиям, верить в успех задуманного, и он к вам непременно придет.

Энергия — это основной движитель жизни.

Формула проста: количество энергии человека существенно влияет на качество его жизни.

Если энергии много, то человек бодр, весел, активен. Удача сама идет ему в руки.

По мере уменьшения жизненной энергии человек становится вялым, медлительным, безучастным к жизни, часто переживает депрессивные состояния, пребывает в унынии и теряет смысл жизни.

Для того чтобы понять, как распределяется энергия и куда она уходит, нужны пояснения.

Внутри тела человека есть меридианы, по которым течет энергия. (*Один из них — желудочно-кишечный тракт! Два конца этого меридиана при желании можно легко рассмотреть в зеркале.*) Энергетические нити, образно говоря, проходят через все наше тело и образуют внешнюю ткань защитного кокона, удерживающего в себе жизненную энергию, словно сосуд воду.

Если сосуд негерметичен, его содержимое может начать вытекать или «сохнуть». И то и другое — плохо. (*Особенно для окружающих!*)

Если, образно говоря, ваша «батарейка» исчерпает свой заряд, то в нужный момент она не сможет выдать необходимую энергию, и все внутренние органы станут работать кое-как — «вполнакала».

Вот откуда появляется уныние, раздражение и в целом недомогание. А в минуту опасности у вас не будет ресурса, чтобы мобилизовать все свои силы и выбраться из сложной ситуации (*которую, как правило, сами и создали!*).

Когда энергетическая оболочка человека здоровая и сильная, то есть без деформаций и «дыр», то она способна в критические моменты наделить человека сверхсилой или сверхэнергией, позволяющей ему совершать неординарные поступки, лежащие за гранью наших обыденных представлений.

Так хрупкая женщина во время пожара, сбегая по лестнице, несет вещи, вдвое превышающие ее вес.

Молоденькие девочки-санитарки выносят из-под обстрела раненых солдат.

Боец в критической ситуации в одиночку разворачивает тяжеленное боевое орудие и поражает надвигающийся на него танк.

Прохожий, спасаясь от кинувшегося на него пса, легко перескакивает через двухметровый забор.

Эти и многие другие широко известные факты говорят о мощном потенциале, который заложен природой в каждом человеке.

И если вы читали или даже занимались по некоторым другим книгам системой моих Наставников, то наверняка тренировались пробуждать в себе эту силу.

При помощи упражнения Октава утверждали в себе могущество, стремление к свету, любви, добру, повелевали себе быть таким, каким желаете. В этой книге мы будем продолжать раскрывать и аккумулировать в себе этот ресурс.

Итак, что нужно, чтобы укрепить, очистить и привести в норму свою энергетическую оболочку?

Всегда нужно начинать с физического тела, устраняя все, что мешает ему быть в наилучшей форме.

Занятия спортом способствуют оздоровлению, в частности, эфирного тела — самого близкого к физическому. Но это только один шаг. (*А сколько их еще осталось впереди! Вах, вах, вах!*)

Работая над эмоциями и чертами характера, вы измените астральное и ментальное тела.

То есть вы уже, наверное, поняли главное — только работая над собой, изменяя себя, вы будете менять свою энергетическую оболочку.

Другими словами, ваши тонкие тела тоже будут подстраиваться и качественно меняться.

Вы откроете для себя способ зарядки, образно говоря природной аккумуляторной батарейки.

А если у вас энергетическая оболочка в хорошем состоянии, то вы будете защищены по всем параметрам жизни и добьетесь больших успехов.

Удача сама будет искать и находить вас.
Но для этого вам надо хорошенько постараться.

Как биологически активные точки, скажем, ушной раковины содержат информацию о состоянии ваших внутренних органов, так и по вашей энергетической оболочке можно поставить вам диагноз.

Научившись самостоятельно и целенаправленно работать над собой, вы получите в «вечное пользование» своего рода волшебное средство, позволяющее вам оставаться бодрыми, молодыми, здоровыми, энергичными столько времени, сколько вам будет нужно.

Приводя в порядок свои нездоровые органы, устраняя шрамы и омолаживая организм, занимаясь по оздоровительной системе моих Наставников, вы будете укреплять, расширять и оздоравливать вместе с телом и свою энергетическую оболочку.

Те, кто уже занимается, наверняка это почувствовали.

Почувствовали или нет?

Молодцы!

Значит, вспомним, каких успехов вы достигаете на первом уровне обучения:

1. С помощью массажа биологически активных точек головы, образной дыхательной гимнастики и специально подобранных упражнений для суставов и позвоночника вы активизируете свой организм. (*Только голову вначале не забудьте найти!*)

По сути, это работа по пробуждению внутренних сил, открывающих вам доступ к оптимальному решению жизненных проблем.

2. Вы овладеваете искусством мысленно концентрировать внимание в нужном участке тела и усилием воли вызывать там необходимые ощущения, навязывать образ здоровья, гармонии, совершенства.

Кроме того, вы проводите работу над прощением, которая помогает освободиться от старых обид, тяжелых переживаний прошлого и связанных с ними страданий, устраняет отрицательный энергетический заряд этих переживаний.

3. Работа с ощущениями тепла **(Т)**, покалывания **(П)** и холода **(Х)** дает вам уникальную возможность при помощи мысли, образа и специальных приемов получать доступ к любому своему органу, сосуду, позвонку, каждому суставу, каждой косточке, связке, сухожилию, к каждой клеточке своего тела.

4. Вы учитесь с благодарностью и уважением относиться к себе, признавая в себе человека с большой буквы — Личность. (*Само собой быстро и без труда это не произойдет!*)

5. Вы учитесь управлять своими эмоциями и из любого крайнего эмоционального состояния возвращаться в состояние душевного покоя. (*При этом, внимание — в вечный покой, пожалуйста, не переходить!*)

Управление своими эмоциями дает возможность легко регулировать настроение и не «застревать» в эмоциональных переживаниях, всегда возвращаясь в состояние глубокого спокойствия и внутренней безмятежности.

Итак, обобщим.
С помощью системы вы можете:

1. Укрепить свое тело физически.
2. Сбалансировать эмоции.
3. Избавиться от многих недугов.
4. Устранить шрамы, морщины, скорректировать фигуру, нормализовать вес.
5. Улучшить зрение, слух, обоняние.
6. Научиться смотреть на мир с оптимизмом.

7. Повысить свою сексуальность, обрести счастье в семейной жизни.

8. Сродниться со своим Образом молодости, здоровья, совершенства.

И здесь я ничего не придумываю.

Вы сами пишете это в своих анкетах после окончания оздоровительной работы над собой.

Теперь приглядимся к тем, кого принято называть людьми энергичными.

Они излучают силу и уверенность, они притягивают к себе, как оазис усталого путника в пустыне.

Одна их осанка уже привлекает к себе взгляды. Движения, речь, общение — естественны и понятны каждому.

Такие люди всегда заметны в любой компании. К ним тянутся, они вызывают доверие, на них невольно обращают внимание.

Они интересные собеседники, нестандартно мыслят, на лету схватывают суть сказанного, мгновенно ориентируются в экстремальных условиях, умеют брать на себя ответственность и принимать решения.

Такие люди — лидеры во всем, особенно если ситуация требует предельной собранности и поиска нестандартных решений.

Их можно встретить где угодно, но только не в очереди к врачу.

Всего этого можно достичь, тренируя себя, работая над собой.

Все, что не растет, чахнет.

Запомните! Вы никогда не стоите на месте. Если вы не двигаетесь вперед, то скатываетесь назад.

Если вы не служите добру, вы служите злу. В Природе пустоты не бывает!

Человек, бредущий по горло в воде, скован в движениях. Вода мешает ему двигаться. А ведь в то же самое время человеку плывущему она помогает плыть.

Скажите себе твердо:

«Я этого хочу!»
Я — Человек с большой буквы, я готов к этому!
Новая жизнь ждет меня, я иду к ней решительно, без всяких сомнений и колебаний. Моя вера и моя воля непоколебимы.
Моя душа чиста.
Мой разум открыт новому знанию.

Чтобы увидеть новое, не надо вставать на цыпочки — надо к нему идти.

ПОБЕДИТЕЛЬ

*(Скажу сразу, раз вы вынуждены кого-то побеждать,
значит, у вас есть враги. Постарайтесь врагов
сделать своими друзьями, и тогда вы станете
величайшим Победителем — Победителем самого себя!)*

Станьте Победителем в мыслях сегодня — завтра будете им в реальности.

Посмотрите на себя:

вы здоровы, хороши собой, у вас есть руки, ноги и голова — словом, все, что и у других.

Но тем не менее эти люди достигают своих целей, становятся известными, получают от жизни удовольствие, а вы?.. Вы чаще остаетесь в тени.

Пусть для вас станет правилом: если кто-то на этой планете сумел чего-то стоящего достичь в этой жизни, значит, то же самое сможете и вы!

Главное, чтобы у вас была мечта. И необходимо делать конкретные шаги к ее осуществлению.

Путь в тысячу миль начинается с одного шага. *(Иногда шаг вперед является результатом пинка под зад! Так что найдите себе помощников!)*

Ну-ка, припомните, кто из американских миллиардеров начинал с чистки сапог? Рокфеллер? Морган?

Не важно кто. Главное, если другим удается подняться от сапожной ваксы до огромных предприятий, известных всему миру своей продукцией, то и для вас это тоже реально. *(Так что щетки в руки — и вперед.)*

Кем были Леонардо да Винчи, Ломоносов, Эйнштейн, Толстой, Достоевский?.. Прежде всего людьми, у которых была такая же круглая, как у вас, голова с двумя ушами, двумя глазами, двумя дырками в носу и ртом.

Но чтобы реализовать данную Богом гениальность, все они трудились в поте лица.

В них горел дух Победителя. И именно дух и стремление к цели сложились в успех.

Каждый человек на земле в чем-то гениален, но далеко не все раскрывают и проявляют свою гениальность.

Проникнитесь духом Победителя, ощутите всем сердцем свою внутреннюю силу, осознайте свое право на мечту и смело двигайтесь вперед.

Не важно, сколько вам лет! *(Да и кому вообще это нужно знать?!)*

Ваши крылья, пусть даже пока еще ма-а-ленькие, — при вас от рождения. Это суть вашей природы.

Помните об этом всегда, и тогда **ваша сказка станет реальностью.**

Все задачи, которые ставит перед вами щедрое мироздание, всегда по силам.

Если даже вам кажется, что вы не в состоянии что-то решить, значит, вы еще недостаточно изучили себя, свои возможности. И самая актуальная для вас на сегодняшний день задача — познать себя.

Великий правитель Рима Гай Юлий Цезарь еще в юности поставил перед собой две задачи:

1. Стать равным среди первых.
2. Стать первым среди равных.

Может быть, и вам они тоже придутся по душе?..

Хотя как закончилась его карьера правителя?..

Это говорит о том, что у каждого должна быть своя великая задача. При которой не надо точно копировать других.

КУРС обучения: Старая практика на НОВЫЙ ЛАД

Курс обучения рассчитан на домашние самостоятельные занятия, доступные человеку любого возраста, умеющему читать и вдумываться в прочитанное, а также способному контролировать свои действия — чтобы ни в коем случае не доводить себя до изнеможения.

Никакой специальной подготовки и особого ума вам не потребуется — методика тренировок достаточно проста. Поэтому возраст слушателей имеет очень большой диапазон. Это и подростки, и зрелые люди, и люди элегантного возраста, которым даже за... 80! лет.

Практически все они добиваются очень неплохих результатов.

На самостоятельную работу по книге отводится 30 занятий. Занятие не должно длиться более 45 минут в первые 7—10 дней. А когда вы освоите систему достаточно хорошо, продолжительность тренировки можно сократить до 30 минут.

Заниматься следует 3—5 дней в неделю, отдыхая 2 дня подряд.

Внимание, предупреждение!

По нижеизложенным рекомендациям не следует самостоятельно заниматься беременным женщинам, а также людям:

— страдающим тяжелыми психическими расстройствами и состоящим на учете у психиатра;

— недавно перенесшим инфаркт миокарда, инсульт;

— имеющим выраженный порок сердца;

— страдающим гипертонией, имеющим «рабочее» давление выше 180/100 мм рт. ст.

Во всех этих случаях необходимы индивидуальные занятия под контролем специалиста.

Три постулата системы самооздоровления

• Человек — не набор органов, а целостная система, в которой все составляющие неразрывно связаны между собой. Это тело, разум, душа, дух.

• Человеческий организм — структура совершенная, наделенная уникальной способностью к саморегуляции и самовосстановлению.

• Гипноз, а также экстрасенсорные воздействия и кодирование, которые заставляют пациентов оставаться пассивными и безучастными в своем выздоровлении, мы не применяем.

Запреты

1. Не забегайте вперед!

2. Не слушайте нытиков, не советуйтесь с умниками.

3. Не отвлекайтесь во время занятий.

4. Не превращайтесь в работающий механизм. Помните о смысле и цели ваших действий.

5. Не перенапрягайтесь. Работайте до появления чувства легкой усталости. Перенапряжение ведет к **обратному эффекту**.

6. Не приступайте к занятиям, если вас клонит в сон.

7. Не приступайте к занятиям, если вы голодны или устали.

8. Лень и пассивность ведут к покою, у которого есть высшая форма — вечный покой.

Не затягивайте процесс выздоровления на бесконечный срок, тем более пожизненный!

Заповеди ПОБЕДИТЕЛЯ

1. Пусть каждое утро будет для вас началом самого удивительного дня, самого удивительного приключения в вашей жизни. Сохраняйте этот настрой в течение всего времени.

2. С помощью формулы «улыбка-осанка-настрой» управляйте своими мыслями.

3. Настройтесь на обретение полной внутренней независимости, свободы и раскрепощенности. Но только не за счет других!

4. Повторяйте как можно чаще и особенно в трудные моменты жизни, мысленно и вслух *(если, конечно, рядом нет санитаров со смирительной рубашкой!)*:

> Я здоров...
> Я силен...
> Я красив...
> Я энергичен...
> Я молод...
> Я счастлив...
> Я все могу...

5. Всегда представляйте себя таким, каким бы вам хотелось состояться внутренне и выглядеть внешне.

6. Всегда чуть завышайте планку, готовясь покорить очередную высоту.

7. Относитесь к себе с уважением, признательностью, благодарностью за любой шаг, действие, поступок в работе над собой.

Каждую тренировку заканчивайте с искусственно создаваемым ощущением трепетного ожидания начала следующего занятия.

Необходимое напоминание

Дух человека является основной движущей силой, ведущей нас к цели.

Выполняя одно и то же упражнение, можно:

а) получить пользу;
б) ничего не достичь;
в) нанести себе вред.

Все зависит от вашего настроя и степени устремления к цели.

Поэтому тренируйте не только желудочно-кишечный тракт и тело, но и дух.

Ведь **развивается только то, что тренируется**. Продолжайте работать над собой всегда.

ОБРАЗНОЕ ДЫХАНИЕ

Занятие 1

Дыханию подчинены все внутренние ритмы организма. Даже сердце подстраивается под дыхательный ритм, равно как и все остальные физиологические, мыслительные и иные процессы.

Физическое дыхание снабжает органы и ткани кислородом.

Образное дыхание улучшает обменные процессы, повышает жизненные силы, является одним из многих механизмов осознанного управления процессом выздоровления.

Дыхательная гимнастика

Задачи: насытить ткани кислородом и изгнать углекислый газ, прочистить и укрепить дыхательные пути.

Эффект: ощутимое повышение работоспособности организма.

Усаживайтесь поудобней, лучше всего на стул.

Глаза закрыты, спина ровная, ступни ног на полу, руки лежат на коленях. **Внимание:** руки и ноги не скрещивать.

Тело должно быть приятно расслаблено. Для этого поочередно напрягаем и расслабляем все группы мышц: бедра, голени, предплечья, плечи, спину. «Отпускаем» *(на все четыре стороны)* мимические мышцы лица и мышцы глазных яблок.

Ресницы не подрагивают *(и не подпрыгивают)*, мышцы лба не напряжены.

Язык расслаблен, находится в полости рта.

Теперь постарайтесь направить внимание на дыхание и последить за тем, как вы дышите. Очень скоро вы начнете дышать, как во сне *(но не потому, что скоро уснете)*:

— сначала произвольный вдох, потом без паузы — продолжительный выдох, затем

— глубокая пауза и опять вдох-выдох.

Успокоив дыхание, прислушайтесь к сердцебиению. Оно тоже стало ровным. Это произошло рефлекторно — сработала внутренняя автокоррекция.

Еще один ключ к расслаблению.

Расслабив тело и успокоив дыхание, обратите внимание на мысли.

Если в голове все еще вертятся посторонние мысли, то поблагодарите их и отпустите с миром.

Если вы чувствуете, что вам все-таки не удается сосредоточиться, еще раз проконтролируйте дыхание.

Глаза закрыты, тело расслаблено, во время вдоха мысленно произносите «вдо-о-х», во время выдоха — «вы-ы-дох». Сосредоточьтесь на том, чем вы сейчас заняты, следите за движением воздуха внутри вас.

Можете быть уверены: через 8—10 таких дыхательных циклов исчезнут любые посторонние мысли.

Если тело расслаблено, дыхание спокойно, а голова свободна от дум, сосредоточьте внимание на том, как воздух проходит через ваш нос.

С каждым вдохом носоглотку омывает прохлада, каждый выдох несет тепло.

Вы настолько свыклись с этими ощущениями, что в повседневной жизни перестали их замечать.

Ваша задача — выделить эти ощущения и сделать их ярче. 10—15 вдохов и выдохов вполне достаточно, чтобы в этом преуспеть.

Дальше попробуйте ощутить, как прохлада на вдохе спускается ниже и ниже — на уровень щитовидной железы, а тепло с каждым выдохом поднимается вверх.

Мысленно опустите носоглотку в область щитовидной железы, представьте, что дыхание осуществляется именно там. Вдох — прохлада, выдох — тепло... Прохлада — тепло...

Сделайте 5—10 вдохов и выдохов с удовольствием и наслаждением оттого, что «дышит» ваша щитовидная железа. А теперь перенесите спокойное и безмятежное дыхание в область солнечного сплетения.

Следующий этап.

Руки, лежащие на коленях, поверните ладонями вверх. Прочувствуйте, как с каждым вдохом через ладони проникает живительная прохлада, а с каждым выдохом — тепло. Также «подышите» через стопы.

Затем «наполните» дыханием какой-либо внутренний орган, **кроме сердца и мозга!** Направьте туда ласку, нежность, внимание.

Делаем по 10 выдохов-вдохов через каждую об- ласть, **обходя сердце и головной мозг.** В дальнейшем бу- дет достаточно это проделывать по 5 раз.

Напоминание

Если у вас на первых порах что-то не будет ладить- ся, не раздражайтесь и не ругайте себя Что сейчас не вышло, получится завтра. Все у вас замечательно, вы на верном пути.

Даже небольшому суденышку, меняющему курс, требуется время, чтобы преодолеть инерцию. Глав- ное — не напрягайтесь.

Образная дыхательная гимнастика — это подготов- ка к основным упражнениям самооздоровления.

Закрепление достигнутого

Упражнение, усиливающее приток энергии с помощью позитивных воспоминаний

Вспомните какой-нибудь радостный случай из жизни, когда вы были счастливы. Переживите его так, как будто он происходит с вами сейчас. Прочувствуй- те его каждой клеточкой своего тела.

95

А теперь еще один какой-нибудь хороший случай. Вы видите, что есть качественные различия между обычным воспоминанием и переживанием через ощущения.

Обратите внимание, как пополнился ваш энергетический запас, насколько больше стало внутренних сил, вновь появился интерес к жизни.

Сохраняйте это ощущение в себе как можно дольше и после окончания занятия, которое на этом и будет завершено.

Воздействие на БИОЛОГИЧЕСКИ АКТИВНЫЕ точки

Занятие 2

Д оброго вам дня, хорошего настроения!
На прошлом занятии мы усвоили, что наш организм обеспечивается внешней энергией (как от котельной!) в приказном порядке.

Это происходит, когда мы находимся в состоянии глубокого транса.

Кроме этого, нами был принят на веру тот факт, что мы можем активно самостоятельно черпать эту энергию из различных источников — привычно и практически ежедневно, мало задумываясь о смысле наших действий. Рассмотрим, как и когда это происходит.

Например, по пути на работу, если ваш путь лежит через городской сквер.

Такие прогулки очень нас освежают. Почему? Потому что энергетические поля деревьев, кустов и травы избыточно сконцентрированы в объеме парка, и этот избыток нам выделяется в виде *(головокружительного)* подарка.

Впрочем, «подарок» — слово неточное, скорее здесь происходит обмен: растения снимают с поверхности наших энергококонов энергетический негатив.

Другой пример.

Люди пьющие прекрасно знают, что похмелье великолепно снимается, если провести около получаса возле быстротекущей воды.

Разрешите на этом остановиться.
С этого места начинается

ЧАСТЬ III

О тсюда и до конца шестого занятия текст сознательно оставлен практически без изменений.
Правда, местами, когда повествование становилось особенно пустым, были внесены некоторые поправки или целиком исключены целые фрагменты из рукописи, которые могли бы нанести вам вред, если бы вы стали заниматься самостоятельно.

Однако кое-где сознательно оставлена вычурность языка редакторов старого издания, которую я не хотел бы приписывать себе как заслугу.

Вода «оттягивает», говорят знатоки, а точнее, течению реки сопутствует энергетический поток неизбывной мощи.

Тот же эффект оказывают морские прогулки. Рыбаки всерьез утверждают, что питие на рыбалке идет им только во здравие и никак не во вред и что никакой стакашек в забегаловке не идет в сравнение с чаркой во время «адмиральского» часа.

Человек, отдыхая, любит гулять, выезжать «на природу»: фанаты-туристы садятся в байдарки или уходят в горы, блуждают по дебрям тайги.

Они подчас не на шутку, рискуя жизнью, покоряют скалистые кручи, спускаются в подземелья, сплавляются на плотах по порожистым рекам.

Энергия внешнего мира в эти моменты охотно вливается в нас, ибо нас во время отдыха не угнетают никакие заботы, ибо мы открыты для радости, а значит, наши энергетические приемоканалы чисты.

Внимание, вектор-информация! Чувство радости, так же как и все человеческие эмоции, не только воздействует на конусы энергоканалов, но и несет мощные кванты энергии собственной.

На занятии, посвященном тренировке эмоций, мы подробнее разберем этот эффект.

И наоборот, в моменты уныния мы закрываемся от дополнительной (внеплановой) энергоподпитки, да и качество плановой энергоподпитки ухудшается (мы плохо спим, нас душат кошмары, мы встаем разбитыми, мы не хотим ничего).

Стресс — главный враг жителей больших городов, он ведет человека к быстрому энергетическому истощению.

Впрочем, мегаполис, обладая гигантской механикой стрессового воздействия на психику своих обитателей, словно в противовес тому, дает человеку уникальные возможности «оттянуться».

Большие города являются средоточием огромных культурных напластований, обеспеченных как современными приобретениями, так и приобретениями цивилизаций прошлых веков.

Если вы болельщик, вы можете энергетически зарядиться на многотысячных стадионах (в меньшей степени, если ваша команда проигрывает, и в неизмеримо большей, если «ваши» всех бьют).

Это весьма сильный, но грубый (стадный) способ приема энергии, однако существуют способы и поизящнее.

Выставки живописных работ, например, дают нам возможность получать извне и генерировать в себе энергии тонкого духовного плана — шедевры гениальных художников настраивают нас на весьма качественный их прием.

В данном случае субстанцией, провоцирующей **«эффект камертона»** (характеризующийся слиянием энергоструктуры нашего организма с соответственными энергопотоками), является цвет.

Нужный настрой на эффект камертона может обеспечивать также созерцание геометрических форм (архитектура, скульптура, интерьер, икебана, красивые вещи и безделушки).

Это созерцание, практически всегда, органически сочетается с восприятием их цветовой гаммы (возьмем, например, красочные пейзажи — горные, равнинные, морские, городские).

На верный лад настраивают наш организм и звук (музыка, декламация, песня), и чтение (стихи, проза — здесь подключаются к делу наше образное мышление и интеллект).

Короче, вы, дорогие читатели (особенно знакомые с нашей методикой самооздоровления по предыдущим книгам), уже, наверное, сами сообразили, куда мы клоним.

Да-да, наилучшим образом энергия воспринимается и удерживается нами в состоянии *самопогружения*.

Это состояние углубленной сосредоточенности, многократно повышающее результативность каждого из методических упражнений, мы уже научились (или должны научиться) вызывать в себе с помощью образной дыхательной гимнастики.

Театр — особый (и древнейший) вид человеческого искусства, где сочетаются медитативные проявления самого разного плана, способствующие коллективной настройке публики на подключение к различным энергопотокам.

Комедия дарит нам оптимизм, мелодрама несет душе очищение... В процессе театрального действа происходит раскачка наших эмоций (их нам предстоит усиленно тренировать в уже новом ключе), несущих свои волны энергий.

Мы покидаем театральные и концертные залы, картинные галереи, спортивные комплексы словно бы обновленными, ощущая подъем в каждой клеточке своего существа. И даже не подозреваем, что за этим стоит конкретный акт нашего энергетического обогащения.

Пора прозреть, пора уделить самое пристальное внимание механизму, исправно (или не совсем исправно) поставляющему нам то, без чего не может существовать ни один земной организм.

Подобно рыбам, отлично чувствующим себя в воде, человек должен свободно сливаться с энергетической пластикой бытия — он так устроен, он так задуман Творцом или Природой.

Он должен ориентироваться в этой среде как кит в океане, чтобы уверенно устремляться к полям питательного энергетического «планктона». Человек должен, подобно дельфину, мгновенно менять форму энергоповерхности своего защитного кокона, чтобы уклоняться от встречи со сгустками враждебных энергоструктур или рассеивать их в пыль мощными защитными контрударами.

Таких структур в ареале нашего бытия великое множество, но человеку, энергетически развитому, не стоит чрезмерно их опасаться.

Хищник прежде всего выбирает больное животное в стаде, активную особь не берутся атаковать ни волк, ни лев, ни медведь.

Очень важно, чтобы вы как следует проработали учебный материал, изложенный ниже, даже если уже знакомы с методикой первого уровня и плодотворно применяли ее. Мы не зря ориентируем вас на повторение учебной программы.

Во-первых, повторение — мать учения.

Во-вторых (огородники это хорошо знают), никогда нелишне вновь подойти к обработанной грядке и выполоть появившиеся там сорняки.

В-третьих — повторение пойдет наряду с качественным преобразованием освоенных прежде навыков.

Многое из того, что вам приходилось делать, вы делали как бы вслепую. Не имея возможности уловить генеральную стратегию замысла той или иной тренировки, вы всецело полагались на наши слова.

Теперь пришла пора ликвидировать белые пятна и четче уяснить себе, что к чему и зачем.

Итак, перечтя **Заповеди Победителя** и настроившись на освоение новых просторов, приступаем к работе с энергококоном.

Для начала попробуем его ощутить.

Попытка
ОЩУТИТЬ
КОКОН

Закройте глаза. Разотрите ладони. Сосредоточьтесь.

Изгоните из головы посторонние мысли так же, как делали это на прошлом занятии, во время дыхательной гимнастики.

Представьте себе круг или квадрат и выталкивайте мысли туда: одну за одной, как в мусорную корзину.

Это нетрудно сделать, навык у вас уже есть.

Отрешившись от суетных дум, направьте внимание на ладони — они у вас очень чуткие.

Поднесите ладони к телу в районе пупка и начинайте медленно отстранять их от себя. Дойдя до предела, замрите на секунду-другую и начинайте их медленно приближать к себе.

Приближайте и удаляйте ладони до тех пор, пока не почувствуете, что на каком-то расстоянии от вас ваши ладони словно упираются в нечто. Это и есть граница вашего кокона.

В районе пупка действует очень сильный энергоканал, ткань кокона здесь редко бывает повреждена.

Не отнимая ладоней от обнаруженной вами границы, попробуйте «увидеть» мысленным взором ткань кокона. У кого-то это получится сразу, у кого-то нет.

Не смущайтесь, продолжайте опыт, и кокон постепенно откроется вашему внутреннему взору.

Учтите, каждый человек «видит» свой кокон по-разному. Для кого-то он явится в золотистом сиянии, кто-то может увидеть что-то вроде матово блещущей ткани — желтой, оранжевой и даже синей.

Это не удивительно, ведь мы имеем дело с особой энергией, характеристики которой не совпадают с характеристиками световых волн.

Впрочем, большинству учеников кокон представляется совокупностью желтых, лимонных или розоватых оттенков, вот почему мы взяли за правило считать его золотистым.

Ощутив кокон, ведите ладони вдоль поверхности тела, стараясь не терять этого ощущения.

Участок, где ощущение пропадет или ладони «поймают» его в непосредственной близости к поверхности тела, выдает дефект ткани кокона.

Это место пробоя, место утечки энергии, оно нуждается в энерголечении (в своего рода «энергоштопке»).

Прежде чем заняться такой серьезной работой, нам следует получить к нашему кокону доступ. Поможет нам в этом упражнение, которое мы раньше не единожды делали, — *аутомануальный массаж.*

Массаж биологически активных точек лица и головы

Физическое значение

Незаменим при гайморитах, фарингитах, бессоннице и т. д. Люди с ослабленным обонянием уже после первой минуты воздействия на соответствующую точку начинают четко воспринимать запахи.

Массаж проводится с помощью трех пальцев — указательного, среднего и безымянного (по 10—20 движений на каждую точку).

Можно также пользоваться и одним большим пальцем. Направление воздействия строго вертикальное — без растирающих движений.

Сила воздействия должна быть такой, чтобы возникало ощущение среднее между болезненным и приятным.

Положение указательного, среднего и безымянного пальцев при массаже биологически активных точек

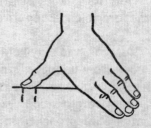

Правильное направление при надавливании на биологически активные точки

Триумф тети Нюры, или...

Массаж, помимо улучшения кровообращения и активизации нервных окончаний, связанных с внутренними органами нашего тела, направляет волны целебной энергии от поверхности кокона к структурам подкорковых образований.

К ним относятся, например, гипоталамус, гипофиз, ретикулярная и лимбическая системы, которые ведают тем, что мы называем подсознанием, в котором происходят процессы, связанные с самопогружением и интуицией.

От этих структур зависит все, что творится в нас, вплоть до нашего поведения и эмоционального состояния.

Последовательность работы

1 — точка на лбу, между бровями в центре (в области «третьего глаза»);

2 — парная точка по краям крыльев носа (ее массаж снимает отек слизистой носа и восстанавливает обоняние);

3 — точка на средней вертикальной линии, между нижней губой и верхней линией подбородка;

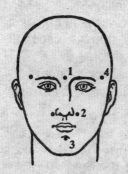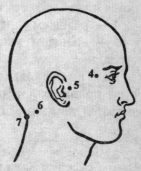

Биологически активные точки лица и головы

107

4 — парная точка в височных ямках;

5 — точки на границе шеи и головы, чуть выше линии роста волос;

6 — точка между козелком уха и нижнечелюстным суставом.

Работайте с удовольствием, с любовью и благодарностью к себе. Прочувствуйте физический отклик в теле.

Массаж
ушных раковин

На ушной раковине расположено огромное количество биологически активных точек, т.е. представлен весь организм, поэтому массаж ушных раковин очень полезен.

Последовательность выполнения* (делаем по 10—15 движений):

1 — тянем с умеренной силой ушную раковину вниз;

2 — тянем ушную раковину от слухового прохода вверх;

3 — тянем среднюю часть ушной раковины в стороны и чуть назад от слухового прохода;

4 — вращаем ушную раковину по часовой стрелке;

5 — вращаем ушную раковину против часовой стрелки.

Если вы правильно выполнили массаж, то почувствуете прилив сил и бодрость во всем теле, т. к. активизируется движение энергии.

---

* Массаж ушных раковин более развернуто изложен в книге: Опыт дурака, или Ключ к прозрению. Как избавиться от очков. М.: АСТ: Астрель, 2004. — *Примеч. редакции.*

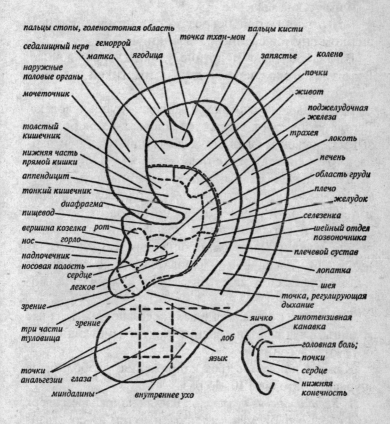

пальцы стопы, голеностопная область
точка тхан-мон
пальцы кисти
седалищный нерв
геморрой
запястье
колено
матка
ягодица
почки
наружные
половые органы
живот
мочеточник
поджелудочная
железа
толстый
кишечник
трахея
локоть
нижняя часть
прямой кишки
печень
аппендицит
область груди
тонкий кишечник
плечо
диафрагма
желудок
пищевод
селезенка
вершина козелка
рот
шейный отдел
позвоночника
нос
горло
плечевой сустав
надпочечник
лопатка
носовая полость
сердце
шея
легкое
точка, регулирующая
дыхание
зрение
гипотензивная
канавка
зрение
яичко
три части
туловища
головная боль;
лоб
почки
язык
сердце
точки
анальгезии
глаза
нижняя
конечность
миндалины
внутреннее ухо

Биоактивные точки ушной раковины

Упражнения для глаз

Физическое значение

Благотворны при неврозах, гипертонии и повышенном внутричерепном давлении.

Взгляд обладает поистине удивительной мощью. Взгляд человека способен дарить энергию и способен ее отнимать.

Глаза издревле считаются зеркалом души человека. Взгляд возбуждает, взгляд успокаивает, взгляд приказывает, посылает флюиды, взгляд подчиняет, притягивает, отталкивает, взгляд говорит.

Дурной, завистливый взгляд может наслать несчастье на незащищенного человека, благословляющий взгляд способен уберечь от бед и невзгод.

Человек с ослабленным зрением неполноценен энергетически. Даже купив очки, он все равно останется лишь пассивным наблюдателем, ибо не сможет использовать силу своего взгляда в критические моменты.

Перейдем к упражнениям, укрепляющим глазные мышцы, улучшающим зрение и активизирующим работу «третьего глаза».

Каждое движение (без напряжения, свободно, не щурясь) повторяем 10—15 раз.

1. *Вертикальные движения.* Взгляд направляем вверх (мы словно пытаемся взглянуть изнутри на собственную макушку), затем вниз («смотрим» на гортань).

2. *Горизонтальные движения.* Глаза «ходят» вправо и влево, мысленно продолжая взгляд за ухо. Движения выполняем легко, словно играючи.

3. *Круговые движения глазами* — сначала по часовой стрелке, затем — против нее.

Помните про положительные эмоции!

Человек может впитывать энергию внешней среды в моменты созерцания прекрасного, на природе, вслушиваясь в звуки морского прибоя, горного водопада или лесного ручья, стрекот цикад, щебет птиц.

Если вы увлекаетесь произведениями искусства, то повысить ваш внутренний энергетический запас могут красивые картины, керамика, скульптура, архитектура.

Любители спорта черпают вдохновение в спортивных состязаниях.

Тонкой духовной энергией наполняет нас музыка, чтение, театральные представления.

Другими словами, когда человек занят любимым делом и получает от этого удовольствие, он пополняет свой энергетический запас, и уже одно это способствует его оздоровлению физическому.

Быстрой настройке на самопогружение любой направленности способствует образная дыхательная гимнастика. Это упражнение в методике энергетического оздоровления ставится во главу угла. Без него просто немыслима никакая работа с энергией — нам следует всегда помнить об этом.

Мы усвоили, что поверхность кокона энергетически связана с нашими внутренними органами (точнее, с каждой клеточкой нашего тела) и что многие линии этой связи проходят через наши биологически активные точки.

Всего этого вполне достаточно для одного урока. Поэтому для закрепления материала завтра еще раз повторите все, что пройдено сегодня, и лишь потом переходите к следующему занятию, которое по своей логике является продолжением занятия настоящего.

Удачи вам и успеха!

Здоровый гибкий ПОЗВОНОЧНИК

Занятие 3

Доброго дня, хорошего настроения!
Ну-с, как дела?
Приятно слышать, что все у вас в порядке, значит, работа строится правильно, значит, интуиция вас не подводит и подсказывает вам верный курс.

Повторяем пройденное

Работаем в легком, радостном настроении. Перед внутренним взором переливается океан силы, энергии, могущества.

Вы тянетесь к нему, стремитесь в него погрузиться и впитать в себя целиком. Создайте внутри стремление, внутреннее движение к достижению цели. И так во всем в жизни.

Как известно, все в мире развивается по спирали, и ваша работа над собой идет по спирали, витки которой постепенно расширяются.

Первый виток вы уже прошли, полностью или частично избавились от болячек, а главное — поверили в свои силы.

Теперь вспомним еще об одной детали.

Никакой компьютер не работает без программы. Возводя храм, дворец, любое сооружение, следует хорошо представлять себе, что собираетесь строить.

Иначе вместо шедевра архитектуры вы можете получить нечто совсем на него не похожее.

Нашей программой к действию, нашим «рабочим чертежом», нашим камертоном, настраивающим на созидание, на творение, на любовь, стал **образ здоровья и совершенства**. Теперь он стал вашей сутью. Так держать!

Скажите, пожалуйста, вы заметили, что теперь в представлениях ваш образ стал меняться, совершенствоваться?

Продолжайте работать и не забывайте, что механическая тренировка ничего не даст, если у вас нет стремления к четкой, ясной, конкретной цели. Мы об этом говорили, и не раз.

Первый уровень наших занятий помог вам справиться с недугами в очень короткие сроки и, запустив в организме программу омоложения, позволил реально сделать шаг к здоровью и молодости.

И каждый раз, когда вы вспоминаете об этом, создавайте в душе благодарность к себе.

Однако жизнь не стоит на месте, мы ежесекундно подвергаемся влиянию окружающей среды, быстро меняющихся ситуаций и, в соответствии с этим, подчас оказываемся незащищенными.

Нам нужен активно действующий регулятор, который в оптимальном режиме корректировал бы взаимодействие нашего организма с внешней средой.

Таким регулятором, автоматически ликвидирующим угрозу внешних агрессий, может служить упражнение Октава с образом сверхсилы, сверхмогущества, сверхстремления, сверхэнергии. Оно, если вы помните, способствует мобилизации резервных сил организма на уровне души и тела.

Образу сверхэнергии созвучно особое состояние человека — **вдохновение.** Вспомните, когда вам все удается, все получается, когда вы чувствуете, что готовы горы свернуть или повернуть реки вспять?

Вспомните свою первую любовь. Вспомните, какое было состояние души, как пела каждая клеточка тела! Вспомните переполняющее ощущение счастья и нежности ко всему живому, когда вы любили весь мир, когда вы любили саму жизнь!

Не огорчайтесь, если сегодня вы утратили это чувство. Вы можете вернуть его, если вспомните это состояние подъема так, как будто переживаете его вновь. Тогда оно трансформируется в мощный созидательный поток.

Создавать образ или переживать прекрасные воспоминания лучше всего в состоянии самопогружения. Поэтому, не выходя из состояния, навеянного нам образной дыхательной гимнастикой, начинаем пробные подходы к намеченной высоте.

Погружаемся в приятные воспоминания о самых глубоких, ярких и счастливых моментах своей жизни.

Мы это уже проделывали на первом занятии, но еще не понимали зачем. Так же, как и тогда, скользим мыслью вдоль яркой цепи приятных, радостных событий, перебираем детали, ищем те, на которые энергетически откликается тело.

Отбираем самые волнующие, окрыляющие воспоминания, собираем их в праздничный букет-фейерверк.

Пусть каждый его стебелек превратится в лучик сильнейшего источника света, который обязательно есть в глубине души каждого человека.

Не огорчайтесь, если поначалу что-то не удастся. Все равно рано или поздно вы почувствуете свой образ. Важно, чтобы он излучал силу и энергию.

Поначалу этот образ может быть туманным и расплывчатым, но со временем он будет уточняться, меняться, проясняться.

Помните, бездонная сила океана, как правило, кроется в его глубинах, в его величественном спокойствии, а волна цунами в океанских просторах почти незаметна.

Она смывает только то, что находится на берегу или на отмелях. Иными словами, человек часто бывает жертвой собственного малодушия, мелочности и минутной слабости.

Делая что-либо, не мелочитесь! Будьте достойны своей истинной природной сути, ибо, **познавая себя — познаешь Бога!**

Упражнения для позвоночника

Они просты, но их эффективность в физическом плане превосходит все ожидания. Например, *остеохондроз* — бич жителей больших городов — уходит безвозвратно.

То, что считалось когда-то необратимым, становится обратимым.

В процессе тренировок позвонки занимают правильное положение и перестают давить на спинной мозг, отчего улучшаются обменные процессы и общее состояние человека. Как бы сами собой сходят на нет многие недуги.

Деформированные хрящи, обладающие изумительной способностью к восстановлению, тут же начинают расти.

Любой человек может «вырастить» себе молодой позвоночник, независимо от того, сколько ему лет.

Практика показывает, что после регулярной работы над собой за счет выпрямления позвоночника улучшается осанка, увеличивается рост.

Позвоночник является не только опорным стержнем, но и, образно говоря, представляет собой магистраль, нервные окончания которой разветвляются ко всем внутренним органам.

А так как человек — не набор органов, а целостная система, в которой все взаимосвязано: разум, душа, дух — то ваша задача создавать гармонию, и за счет этого энергии в вас будет много всегда.

Сегодня мы с вами займемся чисткой, а вернее говоря, прокачкой нашей главной энерготрассы. Как это делается?

На самом деле вы это уже делали, и не раз. Просто нужно к комплексу физических упражнений добавить мысленный образ цели и создать в душе стремление к этой цели, так чтобы в теле почувствовать физический отклик.

И все. Результат не замедлит сказаться.

После первой же тренировки вы ощутите мощный прилив бодрости.

Переходим к конкретной работе.

Поочередно тренируем каждый отдел позвоночника (*шейный, верхнегрудной, нижнегрудной и поясничный*).

Основные движения: сгибание-разгибание, компрессия-декомпрессия (сжатие и разжатие), скручивание-раскручивание*. Каждое движение повторяем 10—15 раз.

Наш позвоночник не только мощный энергосборник, но и мощный энергонасос.

Обратите внимание на дыхание во время выполнения упражнений.

Вдох только через нос, выдох — через рот. Тренируем слизистую оболочку и сосуды.

Шея

1. Наклоны головы вперед и назад до упора.

2. Наклоны головы вбок к плечам, не поднимая плеч.

3. Повороты головы влево-вправо до упора.

---

* Эти же упражнения более развернуто изложены в книге: Опыт дурака, или Ключ к прозрению. Как избавиться от очков. М.: АСТ: Астрель, 2004. — *Примеч. редакции.*

4. Круговые движения головой, как бы катая ее по плечам по часовой стрелке.

5. Круговые движения головой против часовой стрелки.

Плечевой пояс

6. Плечи вперед — подбородок к груди, плечи назад— голова назад.

7. Поднимаем плечи вверх, опускаем вниз.

8. Круговые движения плечами — вперед и назад.

9. Руки вдоль туловища, наклоны корпуса влево-вправо.

Средняя часть позвоночника (грудной и поясничный отделы)

10. Ноги на ширине плеч. Поворачиваем верхнюю часть туловища влево, потом вправо (с каждым поворотом максимальный разворот назад, голова прямо).

11. Наклоны вперед (как бы стараясь дотянуться носом до пупка).

12. Наклоны назад (как бы стараясь достать затылком поясницу).

13. Плечи вниз-назад круговыми движениями «паровозик» (руки согнуты в локтях).

14. Руки в «замок» на затылке, наклоны верхней части туловища вправо-влево, вперед-назад (по 8—10 раз).

15. Ноги на ширине плеч, кулаки на области почек. Локти максимально близко сводим друг к другу.

16. Ноги на ширине плеч. Поворачиваем верхнюю часть туловища сначала вправо, затем влево, стараясь увидеть сзади внутреннюю поверхность стопы.

17. Ноги вместе, ладони упираются в колени. Совершаем надавливающие движения руками на колени с целью еще лучше разогнуть колени назад.

18. Сядьте на пол или на стул. Ноги разведены. Максимальные наклоны поочередно к левой, правой ноге и к полу между ними.

Главное ваше достижение в том, что вы продолжаете работать над совершенным образом здорового гибкого позвоночника, что вы нашли ключ к пробуждению и накоплению энергии внутри себя.

Этот *разминочный комплекс* следует выполнять ежедневно, отводя на него поначалу 30—40 мин (в дальнейшем — 15—20 мин).

Внимание! Напоминание

Постоянно и сознательно находитесь в образе своего совершенства. Даже после окончания тренировок. Не забывайте его «надевать» на себя на ночь.

Делайте это в состоянии полного спокойствия и уверенного знания, что **будет так, как вы хотите.**

Каждый раз следите за тем, чтобы ваши мысли и желания были **созидательными.** Это очень важно.

Тренировка ОБРАЗНОГО МЫШЛЕНИЯ

Занятие 4

*Д*оброе утро!

Обратите внимание на свое состояние. Оно сегодня выгодно отличается от вашего вчерашнего состояния, вы согласны?

Предметы видятся ярче, отчетливей. Это говорит о том, что вы хорошо поработали! В теле — бодрость, в душе — подъем.

Форточку — настежь и бегом в душ. Водные процедуры до и после занятий — необходимы.

Затем легкий завтрак — и беремся за дело.

Перечитываем Заповеди Победителя, сосредотачиваемся на своей цели и приступаем к выполнению разминочного комплекса. Работаем с чувством радости, гордости за себя и с благодарностью в свой адрес.

Каждый раз за любые, даже маленькие, достижения создавайте в душе признательность к себе.

Сохраняя настрой, переходим к тренировке образного мышления.

Роль образного мышления в жизни человека

Предлагаемая вам методика самооздоровления опирается на многовековой опыт древневосточных исследований природы человека.

Главный ее постулат состоит в том, что человеческий организм — это совершеннейшая структура, наделенная уникальной способностью саморегуляции и самовосстановления.

Болезни поражают и мучают в основном тех людей, которые по разным причинам не используют ее в жизни.

А для того чтобы восстановить эту способность, пробудить ее, организму нужен стимул — *внутреннее желание исцелиться, стремление к совершенствованию. Образ молодости и здоровья* поможет вам в этом.

Вы как-то уже работали над этим, но сейчас эту работу нужно провести на другом уровне.

Помните, как одно только воспоминание о лимоне или образное представление того, как вы откусываете и жуете лимон, наполняет рот слюной?

Образы, возникающие в вашем воображении, вызывают в вас адекватные им эмоции, в теле тут же происходит отклик, даже независимо от того, замечаете вы это или нет. Это уже зависит от вашего внимания и способности слышать себя.

Происходит сокращение каких-либо мышц, выброс в кровь биологически активных веществ, выделение желудочного сока или слюны и многое другое.

Образы руководят всеми происходящими в нас физическими процессами. Образы подчас хаотичны, сумбурны, противоречивы, особенно у людей духовно и энергетически не сбалансированных.

Образы способны управлять энергетикой тела.

Если вы будете с верой в душе представлять, что полны сил, здоровья, энергии, то через некоторое время почувствуете в себе это, и наоборот.

Мозг проецирует мысленный образ на тело. Поэтому будьте осторожны со своими мыслями и образами!

Воображение — мощнейший инструмент, дающий человеку возможность активно влиять на ход каких-либо событий, не говоря уже о процессах, происходящих в его организме.

Иными словами, следует помнить, что *индивидуальная программа энергетической самобалансировки* заложена в каждом из нас.

Организм сам пытается бороться за выживание, но мы зачастую его не слышим и все ждем помощи со стороны.

Молить, просить, ждать подачек в виде инъекций или таблеток — значит всегда быть зависимым.

Человек в роли просителя вольно или невольно оказывается уязвимым, а значит, уровень его защиты снижается.

Внутреннее достоинство, всегда заметное в человеке, — признак здоровой, хорошо сбалансированной энергетики, сильного духа.

Это качество свойственно независимым, уравновешенным и нравственно чистым натурам. Такие люди внутренне красивы.

Важнейшей основой в нашей работе является то, *как* вы о себе думаете и *как* себя представляете.

Поэтому всегда представляйте себя такими, какими вам хотелось бы состояться внутренне и выглядеть внешне.

Никогда, даже мысленно, не браните и не унижайте себя.

Помните: любая негативная мысль о себе моментально отрицательно сказывается на энергетике.

Внимание!
Необходимые рекомендации

— гоните от себя «черные», «грязные» мысли: они закрепляют в нас негативные образы, способствующие постоянному оттоку энергии из нашего организма;

— никогда ни о ком не думайте плохо;

— просеивайте впечатления дня сквозь сито, удерживающее позитив и отбрасывающее негатив (делайте это каждый вечер).

Тренировка образного мышления

На занятиях первого уровня, развивающих наше образное мышление, мы делали упор на формировании образа молодости и здоровья. Сейчас главная наша задача — отыскать свой образ сверхэнергии.

Объектом нашей сегодняшней работы будет яблоко, как плод, генерирующий в нашем сознании множество ассоциативных рядов.

На яблоко похожа наша планета Земля. Оно же явилось первым даром первой дамы планеты (Евы) своему первому кавалеру (Адаму).

Яблоко, упавшее на голову Ньютону, помогло ему открыть закон всемирного тяготения.

Яблоко с надписью «прекраснейшей» вызвало ссору трех греческих богинь — Геры, Афины и Афродиты. Каждая сочла, что оно адресовано именно ей.

Некоторые психологи считают, что человек, вызвавший в своем сознании образ яблока и последовательно его уточняющий, автоматически входит в особое состояние *готовности к целительным переменам*.

В таком состоянии в нас обостряется интуиция — компас, указывающий нам кратчайшие пути к оптимальному решению задач, стоящих перед нами.

Упражнение с яблоком

Закройте глаза и, не отвлекаясь ни на что постороннее, как можно ярче представьте перечисленные ниже образы.

Зрительный ряд. В вашей руке карандаш, он медленно рисует окружность, треугольник, квадрат, снова окружность, прямоугольник.

Представьте как окружность превращается в круг, круг обретает объем, превращается в шар — сначала светло-серый, потом он светлеет и постепенно розовеет, становится красным, словно закатное солнце.

Красный цвет местами светлеет, бока шара начинают блестеть. Перед вами яблоко, рассмотрите его хорошенько — оно только что снято с ветки и еще покрыто капельками росы.

Загляните внутрь яблока, там коричневые гладкие семечки, в них сконцентрирована энергия роста — попробуйте увидеть ее.

Осязательный ряд. Вы прикасаетесь к яблоку, ощущая его прохладу, поглаживая бочка. Черенок яблока чуть царапает кончики пальцев — ощутите и это (вы боитесь его обломить).

Старайтесь не только мысленно ощутить прикосновение, но и четко увидеть то, к чему прикасаетесь. Повторите упражнение еще раз.

Динамический ряд. Мысленно представляя движение своих мышц, берем яблоко, ощущаем его твердость и тяжесть. Покачиваем яблоко, вертим в руках, подбрасываем и ловим, подносим к лицу.

Обонятельный ряд. Мысленно дышим на яблоко, затем вдыхаем его запах, наслаждаемся ароматом. Отстраняем яблоко — аромат исчезает, подносим к лицу — аромат возвращается вновь.

Повторяем упражнение до тех пор, пока образ яблока в вашем сознании не достигнет максимально возможной четкости. Это может произойти не сразу.

Не смущаемся, не напрягаемся, работаем до появления легкой усталости. Когда интуиция вам подскажет, что задача выполнена, переходим к основному упражнению занятия. Оно призвано ввести в действие образ сверхэнергии, который уже наметился в нас.

Ввод
образа сверхэнергии в действие

Если разрезать яблоко поперек (в плоскости, перпендикулярной оси черенка), вы увидите, что сердцевина яблока с семечками образует пятиконечную звезду.

Пятиконечная звезда с одной из вершин, направленной вверх, издревле ассоциировалась с человеческим телом.

Представляем яблоко, лежащее на боку, наделяем его спелой золотистой окраской (или тем цветом, в котором вам видится ваш кокон).

Мысленно увеличиваем образ, заставляя яблоко разрастаться во все стороны, пока оно не достигнет объема, в который нам можно «войти».

«Входим» в яблоко, совмещая себя, как показано на рисунке, с существующей в нем пентаструктурой.

Внешние границы яблока — наш энергетический кокон, семечки яблока — внутренние органы нашего тела.

Вызываем в себе образ сверхэнергии (тот, который сформировался у нас на прошлом занятии) и помещаем его над головой — примерно в метре от поверхности кокона.

Мысленно наполняем образ энергией, представляя, что от него исходит сияние. Сияние разгорается, обволакивая поверхность кокона и медленно проникая в него. Оно обворачивается вокруг наших ног, туловища, рук, шеи.

Ощущаем, как энергия вливается в каждую клетку нашего тела, удерживаем ее, не давая рассеяться.

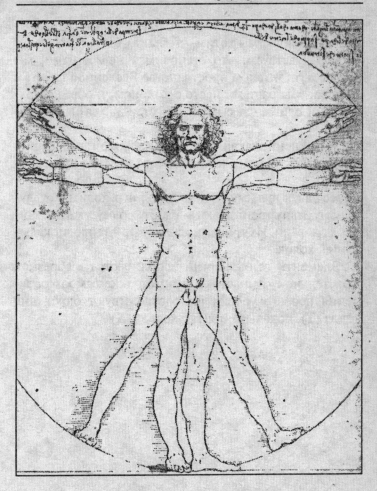

«Пропорции человека по Витрувию».
Рисунок Леонардо да Винчи. Ок. 1500
(Витрувий — римский архитектор и инженер
2-й половины I века до н.э.)

Мы чувствуем, что в нас, волна за волной, вливаются новые силы, мы хотим, чтобы так было всегда.

Мы чувствуем, что становимся невесомыми, мы парим в гигантском пространстве Вселенной вместе с Землей. Мы растем вместе с коконом, и образ сверхэнергии сливается с нами, он становится нашей сутью.

Упражнение заканчиваем, когда кокон, вобравший образ сверхэнергии, начинает едва заметно пульсировать.

Не давая пульсации погаснуть, переходим к следующему этапу тренировки — работе со сгустками лучистых энергий. Их три разновидности — тепло, покалывание, холод.

Элементы этих энергий используются в образной дыхательной гимнастике, а в методике самооздоровления первого уровня им соответствуют ощущения тепла (Т), покалывания(П), холода (Х).

ВЫЗОВ КЛЮЧЕВЫХ ЭНЕРГИЙ – *тепла, покалывания, холода (Т, П, Х)*

О значении этих энергий в нашей работе мы поговорим позже, а сегодня рассмотрим приемы, с помощью которых можно эти энергии в себе вызывать, для чего, собственно, нам следует вкратце повторить то, что мы делали прежде, занимаясь по книге «Уроки Норбекова», начиная с урока 3.

Внимание! Рекомендации новичкам

Помните, что наша работа строится поэтапно. Старайтесь следовать установленному порядку, ничего не пропускайте и не меняйте по собственному желанию.

Не переходите к следующему упражнению, пока не освоите предыдущее. Не спешите. Если в один день не уложитесь, посвятите тренировкам еще день, но не более.

Когда ученик после прилежной работы жалуется, что у него ничего не выходит, причиной этому могут быть две вещи. Либо он чересчур завышает планку, ожидая более ярких, чем они могут быть, ощущений, либо чересчур напрягается, принуждая свой организм.

Работайте с чувством внутренней легкости, как бы играя, и помните: если работа строится правильно, улучшения все равно наступают. Даже если они не очень заметны на первый взгляд.

Главное — *не настаивайте на своем, а просите ваш организм помочь вам,* когда вызываете нужный образ, и, словно настраиваясь на волну, плавно поворачивайте «ручку настройки».

1. Тепло (Т)

Закрываем глаза, полностью расслабляемся. Выбираем произвольно любой участок тела *(кроме области сердца и головного мозга!).*

Представляем, что этот участок начинает разогреваться.

Может быть, вы лежите на пляже, в тени, подставив жгучему солнцу лишь этот участок, то ли прислонились к печке в охотничьем домике, а может быть, посиживаете у камина, повернувшись к нему одним боком.

Каждый представляет то, что ему более близко и приятно.

Проделайте упражнение несколько раз. Не спешите. Не принуждайте себя, а со всей деликатностью просите ваш организм помочь вам.

Когда ощущение появится, сосредоточьтесь на том, чтобы чуть-чуть «навести резкость» на *образ тепла*.

Научившись достаточно четко вызывать в себе образ **Т**-энергии, учимся собирать эту энергию в шар размером с кулак.

2. Покалывание (П)

Работа, аналогичная работе с образом **Т**-энергии.

Закрываем глаза, расслабляемся, представляем, что «отсидели» какой-то участок тела и теперь по нему бегают мурашки.

А может быть, это место покалывают тысячи мелких иголочек или там ощущается легкий озноб. Найдите *образ покалывания*, который вам ближе.

Повторите упражнение несколько раз. Работайте не спеша, с удовольствием, не забывайте себя хвалить. Даже если ощущение «еле-еле проклевывается», это уже успех. А для вас, возможно, и норма.

3. *Холод (Х)*

Работаем так же, как в предыдущих упражнениях с теплом и покалыванием. Глаза закрыты, тело расслаблено, участок тела (*кроме области сердца и головы!*) выбираем любой. Можно тот же, где вы работали с **Т** или **П**.

Налетел прохладный ветерок, а это местечко у вас ничем не прикрыто, или оно все еще влажное после купания, или вы к нему приложили кусочек льда. Не правда ли, ощущение острое и бодрящее?

Найдите *образ холода*, который вам больше приятен.

Есть еще один эффективный способ вызвать достаточно яркие ощущения холода, покалывания и тепла, пользуясь положениями образной дыхательной гимнастики.

Представьте, что прохлада вдыхаемого воздуха проходит через участок, который вам хочется охладить, или что его согревает тепло вашего выдоха.

Внимание! Общее напоминание

Все упражнения делаем в радостном настроении, создавая в душе физически ощутимое чувство благодарности в свой адрес.

Итоги занятия

Способность к образному мышлению — главное свойство человека, кардинально отличающее его от животного и позволяющее ему качественно (в позитивном или негативном направлении) воздействовать на себя и на окружающий мир.

Это свойство является *основным* при формировании вашего *индивидуального образа сверхэнергии* и его следует всемерно в себе развивать.

Развитию образного мышления прекрасно способствуют чтение, рисование (в особенности по памяти), пение.

Хорошая песня (ее текст) дает нам ряд ритмически выстроенных образов, закреплению которых способствуют периодические повторы (припевы). Значение ритма музыки, песни, танца, поэзии в человеческой жизни очень велико.

Стихотворение или песня могут служить великолепной базой для образа сверхэнергии, если они будят в нас жизнеутверждающий, очищающий душу настрой.

Внимание! Рекомендации

Чаще приглядывайтесь к убранству вашего дома. Разберитесь, что вас радует и что раздражает.

Постарайтесь избавиться от ненужных или неприятных вам вещей.

Помните: обстановка, в которой вы живете, непрестанно влияет на вас. Ваша задача — сдвинуть это влияние к позитиву.

Продолжение работы с ключевыми энергиями ПРОЩЕНИЕ

Занятие 5

Добрый день! У вас прекрасное настроение и вам не терпится взяться за дело?!

Первые два упражнения этого занятия вам знакомы. Тщательно их выполняем, не пропуская ни одного этапа.

1. Вызов ключевых (рабочих) энергий — тепла, покалывания, холода (Т, П, Х)

Повторяем пройденное (отрабатываем соответствующее упражнение прошлого занятия).

134

Учимся «скатывать» каждый вид энергии в шарик, с которым в дальнейшем удобно будет работать.

«Старички» это уже умеют, новички прилежно осваивают новое для себя дело.

Начинать можно как с тепла (Т), так и с холода (Х) — это полярные виды рабочих энергий.

Покалывание (П) — промежуточный вариант, оно всегда должно выполняться между холодом и теплом, как в настоящем упражнении, так и в дальнейшей нашей работе.

Если элементы П начинают самопроизвольно присоединяться к Т или Х, образуя сгустки ТП или ХП, не пытайтесь их разделить. Это хорошо, это пригодится вам в будущем.

Добиваемся приятной яркости образа по каждой позиции, но не доводим ее до максимума. Перегрев и переохлаждение — недопустимы.

Упражнение заканчиваем, когда почувствуем, что можем свободно образовать шарик энергии в любой части тела *(кроме области сердца и головного мозга!)*, и переходим к следующему упражнеию.

2. Перемещение рабочих энергий в заданных областях тела
Ноги

Начинаем с энергии Т.

Мысленно помещаем ее в *правую стопу* и скатываем в шарик, излучающий во все стороны приятное прогревающее тепло.

Удерживаем **Т**-шарик на месте 6—8—10 секунд, затем бережно и с любовью поднимаем его вверх по ноге (внутри ее), не спеша, сантиметр за сантиметром, хорошо представляя кости и мышцы, сквозь которые он проходит.

Проводим шарик тепла сквозь коленный сустав, вверх через бедро, потом через тазобедренный сустав (мысленно представляя его) — на *мочевой пузырь*, на *копчик* — идем дальше, через тазобедренный сустав опускаем в левую ногу.

Ничего не пропускаем, спускаемся по бедру, сантиметр за сантиметром, через коленный сустав и голень — до *левой стопы.*

Дошли до стопы, чуть задержались, прогрели ее полностью и пошли обратно — в той же последовательности, через копчик и мочевой пузырь — к правой стопе.

Сегодня вам следует сделать 2—3 таких челночных прохода (от стопы к стопе и обратно). В дальнейшем, когда вы научитесь затрачивать на один цикл 10—15 секунд, можно будет количество проходов увеличить.

Аналогично работаем с энергией **П**, затем с **Х** (по 2—3 цикла на каждое ощущение). Потом ту же работу можно провести для комплексных видов энергий — **Т+П** и **Х+П**.

Общее замечание (важное как для этого упражнения, так и для следующих).

Если вы замечаете, что какой-то энергетический шарик (не важно **Т**, **П** или **Х**) норовит проскочить мимо какого-нибудь участка внутри вашего тела, причины могут быть следующие.

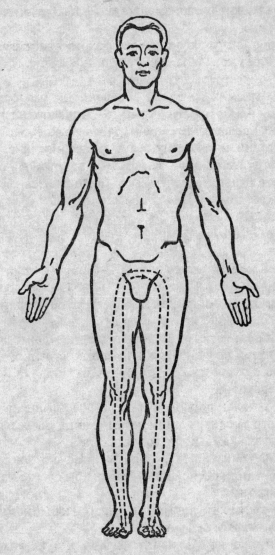

Передвижение рабочих энергий Т, П, Х по нижним конечностям

Первое: ваш организм пока еще плохо подчиняется вашей воле.

Второе: в пресловутом «скользком» участке намечается или уже есть какой-нибудь дисбаланс.

В том и в другом случае вам следует попытаться задержать (на 2—3 секунды) ощущение на участке, создающем проблемы. Но помните — никакого насилия.

Вы не навязываете свою волю, вы ласково уговариваете организм откликнуться на ваше внимание.

Действуйте таким образом и в других «трудных» случаях и будьте уверены, все у вас получится.

Позвоночник

В районе *копчика* собираем **Т**-шарик (с приятным теплом, прогревающим область позвоночника на 12—15 см по его ширине). Добиваемся, не напрягаясь, максимальной его яркости (6—10 секунд).

Начинаем мысленно не спеша передвигать его вверх внутри позвоночника (и, соответственно, внутри нашего энергостолпа), хорошо представляя места, где он проходит.

Через поясничную область, выше, выше, выше, сантиметр за сантиметром ведем шарик, по-хозяйски «оглядывая» каждый позвонок.

Особое внимание уделяем местам, которые нас беспокоят (или беспокоили), словно бы слегка массируя их, разминая.

Переходим к грудному отделу, затем к шейному, доходим *до основания черепа.*

На мгновение задерживаемся там и приступаем к спуску, любовно «перебирая» позвонки, мысленно чуть массируя места, которые нас беспокоят. Доходим до копчика.

Это один цикл.

Аналогично работаем с энергией **П**, потом с **Х**. Затем это упражнение можно выполнить с комплексными энергиями — **Т+П** и **Х+П**.

Похвалите себя, вы ведь заметили, что с каждым повтором упражнение получается все лучше и лучше.

Руки и плечевой пояс

Собираем шарик тепла *в правой ладони*, ощущаем во всей кисти его приятное излучение, добиваемся максимальной яркости изображения (не по интенсивности излучения, а по четкости восприятия).

Через 6—10 секунд начинаем мысленно передвигать шарик внутри руки вверх, стараясь представить места, через которые он проходит. Предплечье, локтевой сустав, плечо, плечевой сустав...

Далее, удерживая **Т**-шарик на линии, параллельной линии плеч и практически с ней совпадающей, перемещаем его из правого плечевого сустава в левый, не думая, сквозь какие органы он проходит.

Во время этого перемещения старайтесь не растерять по дороге тепло и ни в коем случае не опускайте шарик ниже указанной линии, а главное — *не затрагивайте область сердца*

Через плечевой сустав проникаем в плечо, ведем шарик ниже — через локтевой сустав в предплечье, затем еще ниже — *в левую ладонь.*

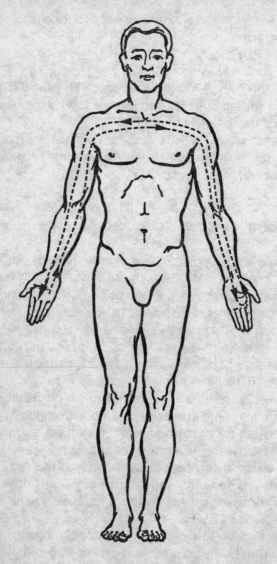

Передвижение рабочих энергий по верхним конечностям

На мгновение задержались, прогрели до кончиков пальцев левую кисть и возвращаем шарик тем же путем в обратный путь в правую ладонь. Это — один цикл.

Особое внимание на пути движения шарика уделяем суставам, задерживаемся в них дополнительно на 1—2 секунды, если они вас беспокоят (или беспокоили в прошлом).

Аналогично работаем с **П-** и **Х-**энергиями. Затем это упражнение можно выполнить с комплексными энергиями **Т+П** и **Х+П**.

Если упражнение не получается, повторите его.

Те, у кого не очень хорошие анализы крови, особое внимание должны уделять костным тканям, суставам и участкам вокруг них.

Суставы у нас всегда должны получать особое внимание, равно как и позвоночник.

Внимание! Обращение к новичкам («старички» привыкли к стилю нашей работы).

Работайте в легком, радостном настроении. Оно всегда должно вам сопутствовать, но в данном случае к этому есть дополнительный повод.

Подумайте сами: у вас наконец-то нашлось время заняться собой!

Сколько вы ждали этого часа? А сколько ждал его ваш бессловесный, затюканный и неприбранный организм?

Он так и ластится к вам, как собачонка, которая хочет, чтобы ее почесали. Вы и почесываете его, но особым способом — изнутри.

Вы делаете своему организму самый великолепный, самый эффективный внутренний *бесконтактный* массаж!

Подумайте, ну кто еще в целом мире способен устроить вашему телу такой праздник? Да никто, кроме вас.

Похвалите себя. Вы это, вне всякого сомнения, заслужили и можете позволить себе небольшой отдых, во время которого есть смысл погрузиться в прилежное чтение приведенного ниже материала.

3. Установочная беседа (самопогружение – его роль и значение в процессе энергетического оздоровления человека)

Утверждают, что Юлий Цезарь мог делать три дела сразу.

Мы в нашей суматошной и суетной жизни способны и не на такое.

На службе, например, наше внимание может члениться.

Наше зрение считывает текст рукописи, наши пальцы порхают по клавиатуре компьютера, наше сознание занято телефонной беседой, подключая к ней наш слух и нашу речь.

Нога наша в это же время может поправлять сбившийся коврик, плечо — прижимать к уху трубку,

нос — морщиться, отгоняя невесть откуда залетев-
шую в офис осу.

Обратите внимание: в такие моменты мы с вами
действуем, а *не тренируемся*.

Наши тренировки — особый вид деятельности, где
нельзя распыляться.

Невозможно тренировать эмоции и заглядывать в
поваренную книгу, помешивая суп.

Невозможно проводить бесконтактный массаж
внутренних органов и приводить в порядок бухгалтер-
скую отчетность.

Невозможно тренировать позвоночник, размыш-
ляя, белить или не белить потолок.

Тренировка требует от ученика полной отрешенно-
сти от суеты и забот и полной **освобожденности** его
разума и сознания.

Тренируясь, мы не должны анализировать, рассуж-
дать. Наше сознание должно уподобиться чистому бе-
лому облаку, плывущему в необъятной голубизне лет-
него неба.

Секунда — и это облако может рассеяться, другая —
и оно может превратиться в грозную тучу, из которой
ударит молния, хлынет ливень, прогремит устрашаю-
щий гром.

Но нам с вами не нужно ни того, ни другого, ни
третьего.

Нам нужно плыть и плыть в ласковой синеве к той
цели, которую мы поставили перед началом занятий.

Мы *занимаемся самопогружением*, мы думаем только вскользь, только около предмета наших стремлений. Так легче пролить на него всю любовь нашего су-

щества, так легче окутать его сильнейшими энергетическими полями.

Наш организм в состоянии самопогружения щедро вырабатывает эти поля и привлекает их к себе извне.

Они единственно обладают мощью, достаточной, чтобы сделать наши мечты (стремления) явью, и, собственно говоря, все оздоровительные (омолаживающие) процессы в наших телах запускаются только с помощью внутренне мобилизованных сил.

В электротехнике, например, существует понятие «тока запуска», во много раз превышающего рабочие токи. В биологии это явление можно уподобить эффекту вешнего пробуждения растений.

Иными словами, чтобы раскрутить тяжелый маховик, требуется масса усилий, поддерживать же его вращение можно легкими, необременительными действиями.

Любой сторонний образный ряд, возникающий у вас в такие моменты, может эту энергию «заземлить» или направить ее в противоположном направлении, играя роль тормоза (палки, сунутой в колесо).

Вот почему, тренируясь, мы не должны ни на что отвлекаться.

Собственно говоря, любая тренировка схожа с раскруткой локального маховика. Сначала дело не спорится, затем выполнять упражнения становится все легче и легче.

Самопогружение способно многократно повысить эффективность этой работы, ибо белое облачко, которому уподобился наш дух, мы можем произвольно и практически мгновенно подключать к энергетическим полям самых разных масштабов и планов.

Что быстрее всего на свете?

Мысль человеческая упраздняет понятия «время» и «расстояние». Она исследует трилобитов (существ, живших за миллионы веков до нас), она проникает в глубины атомного ядра и улетает к далеким звездам.

В состоянии самопогружения наши мысли словно бы растворяются, но это не значит, что они вообще исчезают. Они расплетаются на тончайшие нити, протянутые ко всему сущему вокруг нас.

Наш дух может свободно вдоль них скользить, произвольно избирая направление полета в зависимости от задач самопогружения.

В настоящее время нашей главной задачей является создание образа сверхэнергии и подготовка наших тонких тел и физических составляющих нашего организма к органичному слиянию с ним.

Чтобы понять, как это должно происходить, припомним, как мы работали с образом молодости и здоровья на занятиях первого уровня.

Самопогружение, направленное на поиск образа молодости и здоровья, увлекало нас к прошлому, когда мы были молоды и здоровы. Мы запоминали это состояние и проецировали его на весь наш организм.

Например, девочке, больной сахарным диабетом, помогло исцелиться то, что она представляла себя бегущей по берегу моря и делающейся все легче и легче.

Девочка воображала, как следы, остающиеся за ней, становятся все меньше и меньше, и очень скоро настал день, когда она действительно смогла бегать по пляжу и играть с другими детьми.

Многочисленные исследования подтвердили ее выздоровление.

Другой пример.

Один наш ученик, страдающий варикозным расширением вен, выполняя упражнение, отыскал такой образ: он представлял себе муравья, бегущего по чистой, смуглой, гладкой поверхности его юношески стройной ноги.

Он довел этот образ до максимальной яркости. Он ощущал и щекотание лапок насекомого, и запах прогретой солнцем травы, он слышал шелест листвы и шум пилорамы, работающей неподалеку.

Не прошло и месяца, как желаемое стало явью. Человек выехал на природу, нашел местечко, которое себе представлял. Он разделся до плавок возле лесной речки, уже не стесняясь присутствия других загорающих.

Шумели сосны, за перелеском работала пилорама, по гладкой чистой коже ноги присевшего отдохнуть путника бежал муравей.

Конечно, такие чудесные преображения происходят не вдруг, а в результате долгого и кропотливого труда.

Чтобы сработал эффект камертона, чтобы мы могли органически слиться со своим образом молодости и здоровья, мы, если помните, занимались эмоциональной очисткой своих духовных структур.

Девочке «повезло»: ее детская натура еще не успела «замусориться» и беспрепятственно восприняла целительный образ.

Взрослым сложнее. Им, чтобы добиться успеха, надо проводить в себе генеральную уборку.

Идеальным очищающим средством для такой операции является упражнение «ПРОЩЕНИЕ».

Вариант этого упражнения (с киноэкраном, в котором появляются полузабытые лица) приведен в книге

«Тренировка тела и духа». Вот отклики учениц, проработавших это упражнение.

Первый отклик

«Я не умею долго обижаться и быстро прощаю, поэтому, наверное, долгое время четко различить на экране никого не могла. А когда стала различать, то одной из первых увидела свою мать, которой уже нет на этом свете.

Она посмотрела мне прямо в глаза и сказала: «Помнишь, ты корила меня за то, что я у тебя глупая и отсталая, а я говорила, что твоя дочь, когда вырастет, тоже станет считать себя умнее тебя».

Я вдруг поняла, что это — святая правда.

Дочь часто говорит мне: «Господи, мать, помалкивай себе в тряпочку, не суйся в дела, в которых ты без понятия!»

Меня это задевает, я даже втихомолку реву.

Слова мамы сильно подействовали на меня. Слезы потекли ручьем, я стала просить у нее прощения. Просила и чувствовала — на душе становится все легче и легче.

Сейчас я совсем успокоилась, потому что мама простила меня».

Второй отклик

«После упражнения на «Прощение» я научилась не сердиться, не расстраиваться по пустякам.

Я последнее время была постоянно недовольна своим зятем: ест не так, ходит не так, говорит не то и т. д.

Теперь здоровье мое улучшилось, а характер стал мягче. И зять, и муж очень этому рады.

Они очень хотят, чтобы я продолжала занятия. Они боятся, что у меня это пройдет».

Из вышесказанного нам следует принять к сведению вот что. Точно так же как крокетный шар не может упасть в захламленную какой-нибудь дрянью лунку, наш образ сверхэнергии не может совпасть с энергетическими структурами нашего организма, если в нем закрепились сгустки отрицательных энергополей.

Эти сгустки, уплотняясь, мешают потокам позитивных тонких энергий свободно входить в пространство нашего кокона. Они не только забивают наши энергоканалы, но при достаточно большой концентрации могут повернуть их в обратную сторону.

Открытые энергоканалы, как мы помним, вбирая энергию, вращаются только по часовой стрелке. Обратное вращение их чревато выкачиванием энергии из кокона, что неминуемо приводит к заболеванию тех или иных частей нашего тела.

Как образуются отрицательные энергополя?

Их рождают наши прежние обиды, разочарования, «черные» воспоминания. Их генерируют такие наши эмоции, как зависть, злоба, уныние, отчаяние, панический страх.

Все мы не ангелы, все мы подчас «взрываемся», «дергаемся» по мелочам, чего-то боимся. Мы обижаемся на тех, кто к нам несправедлив, и сами бываем несправедливы.

Подобные «выбросы» не страшны, если они кратковременны, если мы тут же прощаем нашего обидчика и навсегда забываем о том, что произошло.

Нам наносят огромный вред отрицательные эмоции, которые «засиживаются» в наших душах надолго и исподволь постоянно гложут и точат нас.

Чтобы от них избавиться, имеется лишь одно сильно и скоро действующее средство — Прощение.

Мы его применяли на занятиях первого уровня. Оно необходимо нам и сейчас.

Запомните: и здоровье, обретенное нами, развеется словно дым, и приумноженная упражнениями энергия нас скоро покинет, если мы не будем проводить это упражнение.

Поэтому прямо сейчас приступаем к работе по любой из наработанных вами схем.

Новичков отсылаем к варианту с киноэкраном, описанному в книге «Тренировка тела и духа».

Для тех, кому этот вариант кажется усложненным или абстрактным, предлагаем другую схему работы.

4. ПРОЩЕНИЕ

Здесь не могу не вклиниться и не переадресовать вас к упражнению Прощение, описанному в книге вашего покорного слуги «Где зимует кузькина мать, или Как достать халявный миллион решений». Сравните с тем, что прочитаете ниже!

Поздний вечер. Пустынная автобусная (или трамвайная) остановка. На душе легкое беспокойство.

Мы не знаем, какой номер сейчас подойдет, наш или не наш. Мы знаем только, что нужный нам автобус (или трамвай) прибудет из нашего прошлого.

Вот вдали, кажется, уже замигали огни. Они приближаются, разгораются и, ослепляя нас, замирают на месте.

С легким шелестом раздвигаются дверцы. Там — люди. Мы не знаем, много их или мало. Мы знаем только, что они здесь — ради нас и что с каждым из пассажиров нам надо поговорить. Глаза, ослепленные фарами, долго привыкают к неяркому освещению.

Кто-то берет нас за руку, предлагая присесть. Не отнимайте руки, присаживайтесь и слушайте, что вам скажут.

Возможно, вы сразу узнаете собеседника, возможно, его черты появятся в процессе беседы. Слушайте, что он вам скажет, и попросите у этого человека прощения, если в словах его будет звучать укор.

Простите его, если он скажет, что виноват перед вами. Простите искренне, от всего сердца, и махните прощально рукой, когда он сойдет.

Скажите себе: «Он простил меня, и я простил его и простился с ним как с частью своего прошлого, которое никогда не вернется, потому что я никогда не буду совершать ошибок, которые совершал!» И перейдите к следующему пассажиру, а затем к следующему, и так обойдите всех.

Без возмущения принимайте укоры и, склоняя голову, говорите: «Да, я был в том виноват, простите меня».

Без гнева глядите в глаза тем, кто вас когда-то обидел, и говорите: «Вы были несправедливы ко мне, но это все в прошлом, впереди у меня новая жизнь — я прощаю вас!»

Поговорите со всеми — и с теми, что живы, и с теми, что умерли, и с теми, что сейчас далеко.

Машите рукой им вслед, когда они будут сходить на своих остановках.

По мере того как ваши спутники будут покидать салон ночного экспресса, в его окнах все ярче и ярче начнет разгораться рассвет. Это заря вашей новой жизни, которая ждет вас.

Скажите этому радостному, все разгорающемуся свечению: «Я чист, я готов к встрече со своим будущим, я освободился от тяжкого груза. Воспоминания мои будут лишь радостными, поступки достойными, а жизнь — счастливой и долгой».

Отдохните какое-то время, наслаждаясь стремительным бегом машины и музыкой, которая все сильней и сильней звучит в вашей душе.

Постскриптум

Кто-то сказал: если выстрелить в прошлое из пистолета, оно ответит выстрелом пушки.

Мы говорим: если осветить свою память фонариком нежности, она озарит ваш путь фейерверком надежд.

Надо отметить, что человек довольно часто в жизни находится в состоянии самопогружения, даже не подозревая о том.

Это происходит, когда мы любуемся бабочкой или цветком, собираем грибы или смотрим на серебро лунной дорожки, рассекающей гладь вечернего озера.

Мы замираем от прилива восторженных чувств в горах, окидывая взором величие убегающих за горизонт далей, нас завораживает панорама в иллюминаторе авиалайнера.

В такие минуты мы отстраняемся от всего мелкого и наносного в себе, и оно, теряя опору, выветривается из нашей души, уступая место высоким (позитивным, греющим нас) впечатлениям.

Эти спонтанные (случайные, разрозненные) само-погружения также несут нам здоровье (вплетая свои нити в орнамент нашего образа сверхэнергии) и силы (раскрывая энергоканалы, по которым позитивная энергия может в нас проникать).

Они словно играют роль партизанских отрядов, чьи кавалерийские вылазки наносят противнику (в данном случае нашему энергетическому нездоровью) весьма ощутимый урон.

Нам не следует пренебрегать этой помощью, на-против — мы должны всемерно стараться, чтобы она сделалась регулярной.

Почаще бывайте на природе. Подольше задержи-вайтесь в тех местах, где вас охватывают высокие чув-ства, окружайте себя красивыми вещами (особенно это полезно беременным женщинам, ибо их ощуще-ния передаются детям, которых они носят).

У каждого бывают в жизни минутки сентименталь-ности, когда от стеснения чувств вдруг перехватывает горло, а на глаза наворачиваются вроде бы беспричин-ные слезы.

Не старайтесь их удержать.

Эти невольные слезы также свидетельствуют об очищении вашей души и о снятии с поверхности ва-шего защитного кокона отрицательных энергополей.

Итоги занятия
Коротко перечислим, что мы с вами сегодня усво-или.

1. Самопогружение — особое состояние человека, в котором его дух способен направленно и наиболее эффективно воздействовать на все (в том числе и энергетические) структуры его организма.

Оно многократно усиливает результативность любых видов тренинга тела и духа.

Это состояние парения, скольжения мысли.

Оно похоже на облако, которое может либо стать грозовой тучей, либо покрыть пушистой периной все небо до горизонта, либо рассеяться без следа.

2. Наш образ сверхэнергии может быть правильно сформирован только в состоянии самопогружения.

Представляйте себя такими, какими вам хочется быть: волевыми, собранными, настроенными на скорое и победное достижение любой из поставленных перед собой целей, а затем отпускайте свой дух «на волю».

Облако, которому он уподобится, раз за разом будет принимать все более четкие очертания, необходимые вам.

3. Любое самопогружение очищает нашу внутреннюю сущность от наносных наслоений, но лучше всего этому способствует упражнение «Прощение».

Почаще прибегайте к нему.

Оно сильно действует, но никогда не вредит.

4. Созерцание, сопряженное с позитивным переживанием, — также самопогружение. Оно несет нам исцеление, бодрость.

В такие моменты все наши чувства словно покрываются искристой росой.

На созерцательный лад нас настраивают произведения искусства, пейзажи, длительные прогулки без суетных дум.

Старайтесь обращаться к таким акциям регулярно. Невольных слёз не сдерживайте — они очищают.

Держите себя открытыми для восприятия красоты. Помните — чувство прекрасного заложено в нас не зря.

Все, что красиво, нам полезно. И польза эта выражается в притоках чистой энергии, поддерживающей в нас молодость и продлевающей жизнь.

Развивайте в себе чувство прекрасного.

Тренировка ЭНЕРГОКОКОНА

Занятие 6

1. Установочная беседа (роль ключевых энергий в процессе энергетического оздоровления)

Внимание!
Вернее, доброе утро, водные процедуры, легкий завтрак, а потом уж — внимание!

Бросьте беглый взгляд на череду дней, миновавших с начала занятий, и попробуйте оценить перемены, которые с вами произошли.

Если вы правильно и прилежно осваивали все положения нашей методики (ничего не пропуская и не забегая вперед), то эти перемены должны быть разительными.

Взгляните в зеркало.

Что с глазами? Сияют как звезды. Что с прической? Блеск волос соперничает с блеском утра в оконном стекле.

Пройдитесь по комнате. Что с походкой?

Стопы пружинят, бедра подрагивают. Ягодицы подтянуты, шаг свободен, грудь чуть выдается вперед. О настроении не будем и спрашивать — оно выше крыш.

Теперь вспомните, сколько дел вам удалось переделать в эту неделю (декаду)? Уйму! Раньше такую прорву и в месяц было не разгрести.

Еще припомните, случалось ли с вами на прошлой неделе что-либо плохое? Нет?

Что ж, ничего удивительного, так и должно быть.

Кокон начал работать, и, заметьте, это только цветочки. Ягодки впереди: кокон только «разогревается», он еще сумеет себя показать.

Сегодняшнее занятие очень важно для нас. Отнеситесь к нему с предельной внимательностью.

Мы уже научились получать доступ к кокону, мы основательно почистили его.

Образ сверхэнергии (который с каждым днем у нас уточняется и вызывается все легче и легче) стал малопомалу запускать в нас механизм энергетической самобалансировки.

Что нужно, чтобы процесс шел без помех?

Нужно, чтобы ткань нашего кокона была отменно здорова.

Как оздоровить ее?

С помощью рабочих энергий тепла, покалывания, холода (Т, П, Х). Раньше мы с ними только работали.

Теперь пришло время сказать несколько слов об их роли.

Образно говоря, ключевые энергии **Т, П, Х** для нашего кокона то же, что для любителя русской бани парилка, веник и ледяная прорубь.

Их контрастное воздействие на энергетическую ткань кокона дает поразительный эффект.

Рабочие энергии обладают способностью проходить сквозь любую энергосубстанцию нашего организма, активизируя и обновляя ее.

Нам не нужно вдумываться, как это происходит, нам важно уяснить, что это именно так. И исходя из этого научиться работать с энергетическими шариками за пределами нашего тела.

Сегодня мы должны расширить круг наших знаний (повторив или наново освоив позиции книг «Уроки Норбекова» и «Тренировка тела и духа» в свете идеологии тренировок второго уровня), чтобы затем приступить к *бесконтактному аутомассажу объемов и поверхности кокона*.

Это приятная во всех отношениях работа, плюс к тому она ошеломляюще результативна.

Практически все ученики отмечают, что прямо с первых дней тренинга им начинает неуклонно везти.

Сначала — по мелочам (на уровне «подошел к остановке, и тут же автобус подъехал»).

Потом — в вещах посерьезнее (комплиментарность начальства, повышение по службе, благосклонность объекта сердечных стремлений, перспективная командировка, выгодный заказ или контракт).

Так и хочется продолжить вышесказанное фразой: приготовьтесь к этому и вы. Но суть чудесной трансформации в том, что к ней не надо готовиться.

Главное: вдумчиво и прилежно работать с предлагаемой вам методикой и верить в успех.

И все, что не складывалось, начнет складываться, и все, к чему, казалось, «приговорен навечно», устранится с вашего горизонта.

Кокон отзывчив на заботу и ласку так же, как наши органы, наше тело, ведь он — часть нашего существа.

2. Тренировка энергококона путем обработки его объема и поверхности ключевыми энергополями (Т, П, Х)

Этап первый
Повторение основных упражнений с ключевыми энергиями (**Т, П, Х**).

Эти позиции подробно описаны в книге «Уроки Норбекова». Нам, на втором уровне тренировок, особенно важно повторить ряд упражнений с трехплоскостными вариантами перемещения энергий («протирка», «спираль», «трилистники»), исходя из чего методика работы по заявленным категориям приводится здесь в достаточной полноте.

Стоп! Необходимое напоминание
Для работы каждый может избрать любой нуждающийся в профилактике орган, *кроме сердца и головного мозга*.

Улучшение их функциональной деятельности происходит опосредованно — вместе с активизацией всего организма.

Работаем, закрыв глаза, абсолютно расслабившись, изгнав из головы все посторонние мысли.

Трехплоскостная обработка органа, нуждающегося в профилактике

«Протирка»

Скатываем **Т**-энергию в шар размером с кулак (или поменьше) и начинаем передвигать его в трех плоскостях в районе какого-либо нуждающегося в профилактике органа.

Мысленно проходим орган *насквозь*, протирая его *внутри и снаружи* — нежно и очень бережно («расправляя», «разглаживая»).

Вертикальные (зигзагообразные) перемещения от края до края: *сверху вниз, снизу вверх* — 4—5 раз.

Горизонтальные (зигзагообразные) перемещения от края до края: *слева направо, справа налево* — 4—5 раз; *от живота к спине, от спины к животу* — 4—5 раз.

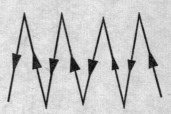

*Схема передвижения
рабочих энергий
при выполнении упражнения
«Протирка»*

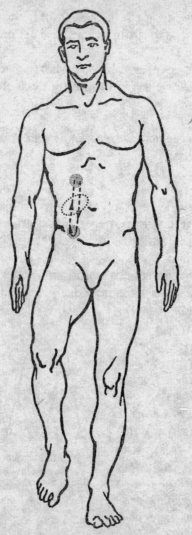

*Передвижение рабочих энергий по вертикали
(сверху вниз и снизу вверх) при выполнении
упражнения «Протирка»*

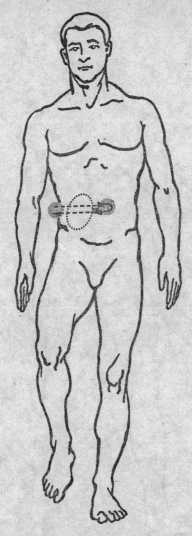

*Передвижение рабочих энергий по горизонтали
(справа налево и слева направо) при выполнении
упражнения «Протирка»*

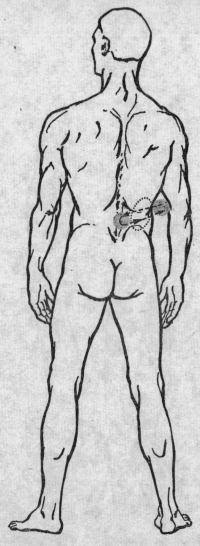

*Передвижение рабочих энергий спереди назад и обратно
при выполнении упражнения «Протирка»*

Аналогично работаем с энергией **П**, затем — с **X** (по 4—5 возвратно-поступательных движений в каждой из плоскостей).

Работаем весело, с удовольствием.

Образ сверхэнергии не покидает нас.

Наша задача — пройтись по всему органу, не пропустив ни единого, даже самого крохотного местечка.

Амплитуду последнего перемещения увеличиваем, вынося шарик энергии за пределы тела (в объем кокона).

«Спираль»

Перемещаем энергию тепла в тех же направлениях и плоскостях, что и при «Протирке», но уже не линейно, а по спирали, закрученной подобно спирали в электроплитке.

Двигаем энергетический шар по спирали — *от периферии* органа *к центру и обратно*, это один цикл. «Возвращать» энергетический шарик от центра органа к периферии можно в любом направлении как по часовой стрелке, так и против нее. Исключение составляет кишечник. Там направление движения всегда одно — по часовой стрелке.

Схема передвижения рабочих энергий при выполнении упражнения «Спираль»

Делаем по 4—5 циклов передвижек каждого ощущения в каждой из плоскостей, с выносом энергии за пределы тела на последнем перемещении.

Если объект упражнения — *позвоночник*, энергию за пределы тела *не выносим*.

Движемся по спирали *сверху вниз и обратно* или наоборот (при «протирке» направления те же, но движения строго линейны). Витки можно делать покрупнее, покруче, затем — помельче.

Еще раз напоминаем: главное — как в этом, так и в других упражнениях — любовное отношение к делу.

Ваша работа уникальна, никто ее не может проделать за вас. Мысленно — очень нежно и бережно — стараемся разгладить, расправить все складочки внутри и на поверхности неблагополучного органа, проникаем во все углубления, массируем труднодоступные места.

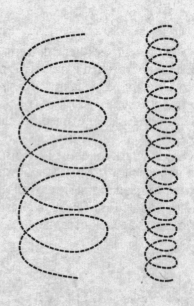

Схема передвижения рабочих энергий при выполнении упражнения «Спираль» на позвоночнике

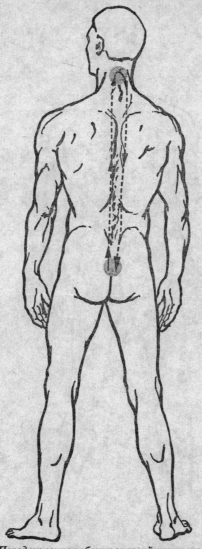

Передвижение рабочих энергий при выполнении
упражнения «Протирка» на позвоночнике

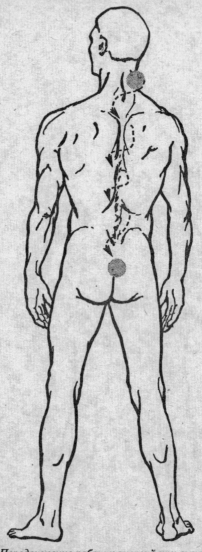

Передвижение рабочих энергий при выполнении
упражнения «Спираль» на позвоночнике

Этап второй
Трилистники (второй комплекс упражнений)

Это очень важные упражнения.

Древние врачеватели делили тело человека на участки, напоминающие *лепестки лотоса* (очень красивого легендарного цветка, которому приписываются необычайные свойства и который почитается символом благородства и красоты).

Эти участки, сочетаясь по три, образуют *трилистники* — от гигантских до крошечных. Мы с вами будем работать с трилистниками гигантскими, которых на теле человека всего три.

Первый трилистник. Его передняя проекция делит грудную клетку на три примерно равные части. Опорой служит нижняя часть грудины (лепестки направлены вверх).

Верхняя граница каждого из боковых лепестков полностью охватывает соответствующее плечо (можно туда же включить и руку).

Верхняя граница среднего лепестка проходит на уровне скул.

Спроецировав трилистник на область спины, получаем еще 3 лепестка — задние. Объемы тела между парными лепестками (например, между левым передним и левым задним) и будут нашими рабочими объемами.

Второй трилистник. Лепестки направлены вниз — от нижнего края грудины (у мужчин — от сосков) — и достигают пупка, деля эту область тела на три равные части.

Проекция их на область спины дает задний трилистник.

167

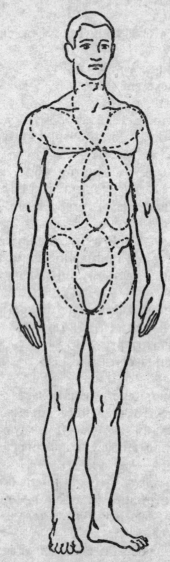

Трилистники

Как уже говорилось, парные лепестки образуют объемы, в которых мы и будем работать.

Третий трилистник. Лепестки направлены вверх и достигают пупка. Опорой им служит промежность (сзади — копчик). Объемы трилистника формируются по прежнему принципу.

Для удобства разобьем наш торс на 9 примерно равных частей (лепестков) и пронумеруем их. Работу начнем традиционно с энергии **Т**.

Расслабляемся, закрываем глаза. Собираем достаточно большой (величиной с кулак) шарик приятного, целебного, живительного тепла в объеме первого лепестка (8—10 секунд), хорошо прогреваем этот объем изнутри и направляем наружу (5—6 секунд), не думая впрямую об органах, которые там расположены.

Затем перемещаем **Т**-шар левее — в район 2-го лепестка, удерживаем его там (8—10 секунд), хорошо прогревая этот объем изнутри.

Затем переходим еще левее — в объем 3-го лепестка, работаем там так же, как в области первого лепестка, но **область сердца мы ни в коем случае не затрагиваем! Мысленно с благодарностью обходим ее стороной.**

Далее спускаемся ниже, ко второму трилистнику, прогревая последовательно (слева направо) объемы 4, 5 и 6-го лепестков, затем спускаемся в 7-й лепесток третьего трилистника, прогреваем и уходим влево — в 8-й лепесток.

Затем переходим еще левее (9-й лепесток), греем и уже в несколько измененном порядке двигаемся обратно — к 1-му лепестку.

Это — один цикл перемещения (схемы циклов изображены на рисунках).

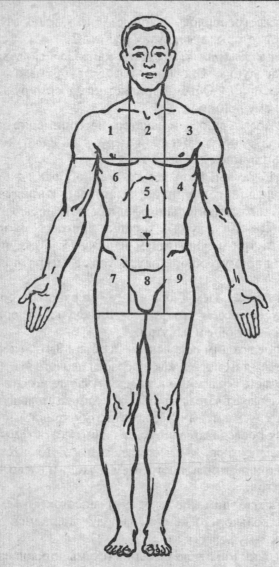

Лепестки лотоса (вид спереди)

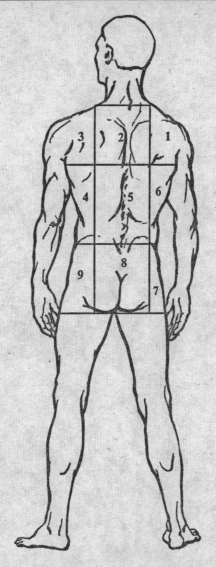

Лепестки лотоса (вид сзади)

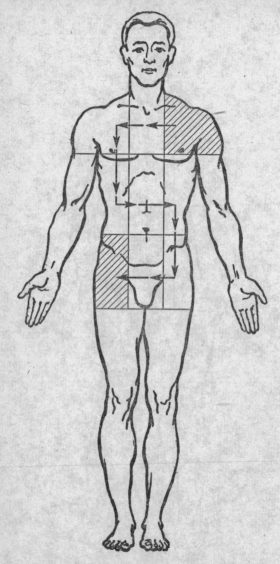

Передвижение рабочих энергий Т, П, Х по лепесткам лотоса

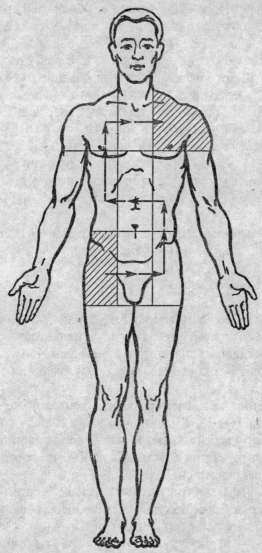

Передвижение рабочих энергий Т, П, Х по лепесткам лотоса

Повторяем цикл еще **2 раза** с **Т**-энергией, потом трижды работаем с каждой из остальных энергий (**П, Х**).

Переходы от одного ощущения к другому должны быть плавными, лучше их делать, соединяя крайние энергии (**Т, Х**) со срединной (**П**).

Можно работать только на парных энергиях **Т+П** и **Х+П**, если они хорошо вам даются.

Работаем не напрягаясь, с любовью, словно разглаживая и расправляя каждый лепесток изнутри

Заканчиваем работу с уверенностью, что ни один участок в заданных областях не остался непроработанным.

После небольшого отдыха переходим ко второму этапу работы с ключевыми энергиями.

Итоги занятия

Сегодня мы с вами впервые обратились к процедуре не только активизирующей, но и непосредственно оздоровляющей ткань кокона, а также многократно повышающей емкость его энерговпитывающих объемов.

Мысленно вызываемые образы тепла, покалывания, холода (**Т, П, Х**) дают нам возможность справляться с этой работой быстро и без особых хлопот.

Эффект от наших действий, как мы уже говорили, не замедлит сказаться.

Кокон — субстанция энергетическая, энергетические процессы более быстрые, чем процессы физиологические в тысячи, если не в сотни тысяч раз.

Главное — верно освоить технологию тренировок, поскольку реакции кокона моментальные.

Будьте внимательны, старайтесь не делать ошибок, иначе все ваши позитивные достижения могут в мгновение ока качнуться в сторону негатива.

Впрочем, излишне опасаться возможных своих промахов также не стоит — запас прочности кокона очень велик.

Ошибка, если она не слишком груба, будет тут же погашена его механизмом защиты.

Обрабатывая объем и поверхность кокона ключевыми энергиями, не забывайте то убавлять, то увеличивать их яркость, заканчивая тренинг на умеренных нотах.

ТРЕНИРОВКА ЭМОЦИЙ

Занятие 7

Доброго вам дня, который мы, как обычно, начинаем с комплекса разминочных упражнений.

Не ленимся, не пропускаем ни одной позиции, «дышим» через позвоночник.

Здесь разрешите внести уточнение.

Все упражнения делаем, искусственно создавая хорошее настроение!

Задумывались ли вы, почему человека так манят всевозможные шоу?

Почему народ Рима требовал от своих властителей не только хлеба насущного, но и зрелищ?

Почему футбольный, хоккейный, бейсбольный матчи собирают десятки тысяч болельщиков?

Почему в Средние века, завидев кибитки бродячего цирка, крестьяне бросали работу?

Почему во все времена лицедейство, музыка, танцы, театральные представления были столь притягательны для людей?

Именно возможность пережить сильные эмоции, накопить ощущения быстро сменяющихся впечатлений на какое-то время восстанавливает в человеке эмоциональную гибкость, утраченную в будничной монотонности жизни.

Вы замечали, как ваши душевные переживания то животворно, то угнетающе влияют на вас?

Внезапное горе в один миг лишает сил и может сломить даже очень сильных людей, а нежданная радость окрыляет, и в этот момент вы чувствуете, что готовы горы свернуть.

Особенно живо на печали и радости реагируют дети.

Эмоции — это энергия.

Положительные переживания наполняют животворящей энергией, вызывают прилив сил. Отрицательные — поглощают или нейтрализуют ее.

Вот почему нам так важно сформировать эмоциональную гибкость, а это достигается путем тренировок.

Постоянное отклонение маятника чуть-чуть в сторону плюса называется коррекцией настроения.

Дело в том, что человеку очень вредно впадать и долгое время находиться в пиковых эмоциональных состояниях.

Одинаково опасны и сильная ярость, и восторг, и глубокая печаль, и безудержное веселье.

Древний Восток учит нас, что с эмоциями нужно быть очень осторожными. Нельзя сильно поднимать их, равно как и нельзя их сильно опускать.

Поэтому во время выполнения упражнения на маятник эмоций самый важный момент — это переход от состояния горя, подавленности, апатии к состоянию радости, безмятежности, жизнелюбия.

Именно способность переходить от экспрессивной эмоции к спокойствию тренирует необходимую гибкость, а также способствует нахождению оптимальных решений в любой ситуации.

Рассмотрим энергетический аспект процесса эмоциональной раскачки.

Любая наша эмоция, по сути, есть сигнал-приказ организму запустить в действие ту или иную механику противодействия или содействия ситуации, не важно — реальной или просто воображаемой.

Каждая тренировка — это поиск, познание, дополнительный шаг к идеалу.

Тренируя эмоции, вы искусственно ввергаете себя в пучины печали или поднимаетесь на волне упоения.

Тренируя эмоции, вы непрестанно открываете все новые и новые перспективы для совершенствования.

Так маленькая почка превращается в лист, во много раз превосходящий ее по размерам, а тугой бутон, распускаясь, становится пышным цветком.

Волшебные всплески эмоций, сильные движения чувств сбивают, образно говоря, накипь с души человека.

Недаром подмечено, что страдание очищает душу, что много пережившие люди особенно доброжелательны и мудры.

Духовная сопричастность — это отдача энергии. Вот почему важно осознавать, куда уходит эта энергия, что она питает, ибо тренировка без смысла и цели — это путь в никуда.

Вспомним, как вы тренировали эмоции по книге «Тренировка тела и духа».

Вы искусственно отклоняли маятник своего эмоционального состояния в крайние точки, а затем приводили его в нейтральное положение, то есть в состояние спокойствия.

В этом нам помогали образное мышление и способность вживаться в роль.

Если эмоции влияют на внешний облик, то и внешний облик должен влиять на них!

Итак, эмоции играют огромную роль в энергетической балансировке организма. Собственно говоря, именно они и воздействуют на наш энергетический тонус.

Отрицательные эмоции забирают у нас энергию, положительные — пополняют копилку наших ресурсов. Хорошее, ровное, спокойное настроение свидетельствует о том, что в нашем энергохозяйстве все хорошо.

Тренируя эмоции, мы прежде всего учимся управлять ими, чтобы после эмоционального всплеска всегда приходить в ровное расположение духа.

Корректируя настроение, мы добиваемся того, чтобы расположение духа было приподнятым.

В приподнятом настроении человек лучше работает, действует, принимает решения и вообще ориентируется в жизни.

В дальнейшем тренировку эмоций следует проводить ежедневно и не только как специальное упражнение, но и в повседневной жизни.

Тогда работа над собой войдет в привычку!

Доброго вам дня, успеха в работе и... поздравьте себя. Основная часть настоящей учебной программы вами успешно пройдена.

Теперь вы можете поддерживать силы, восполнять энергию с помощью упражнений из «Канона для будущих властелинов» в книге «Тренировка тела и духа», *а также подобрать упражнения из «Атласа ментальной медицины» (рабочее название), который готовится к выпуску.*

Эти упражнения способствуют физическому, духовному и, если так можно сказать, энергетическому оздоровлению.

Работайте до появления легкой усталости, внимательно прислушиваясь к себе.

Шум в ушах или тяжесть в голове — сигналы тревоги, предписывающие вам немедленно уменьшить нагрузку, прекратить тренировку и отдохнуть в течение двух-трех дней.

Помните, что перенапряжение вредно в любом деле!

ГИНЕКОЛОГИЧЕСКИЙ и УРОЛОГИЧЕСКИЙ массаж

Занятие 8

Итак, во всех ваших действиях преобладает любовь, благодарность к себе и ко всему окружающему миру.

Сегодня образное дыхательное упражнение заканчиваем в области гениталий, готовимся к выполнению гинекологического и мужского урологического массажа.

Концентрируем энергию пробуждающегося желания и пропускаем ее по всему телу.

Хочу здесь дать пояснение. Многие путают понятия «половое влечение» и «любовь».

Часто происходит подмена, особенно это свойственно эмоционально неустойчивым молодым людям,

181

которые соединяются, создают семью, опираясь на инстинкты, а потом расстаются.

Половое влечение — это могучий инстинкт! Он дан нам природой для продолжения рода.

Наша задача — пробудить силу сексуальной энергии и научиться ею управлять.

Таким образом, вы получите в свои руки колоссальный, неисчерпаемый потенциал, ибо сексуальность и творчество — суть одно и то же!

Еще в давние времена мощь этой силы пугала, и многие государства обращались к системе сексуальных запретов, подчас инквизиторскими методами выжигая «зло и порок».

Эту мощь боготворили в Индии. Впрочем, существовали также и народы, которые культивировали искусство разумного обращения с энергетикой эроса с давних времен.

Мужчины уже освоили древнекитайскую технику запирания семени по книге «Уроки Норбекова», а женщины овладели гинекологическим бесконтактным массажем, описанным в книге «Тренировка тела и духа».

Теперь нам предстоит еще раз, несколько иначе поработать с пройденным материалом на другом уровне.

Информация для МУЖЧИН

Половой акт в Древнем Китае всегда считался частью порядка в природе. Приверженцы учения дао никогда не связывали его с чувством греха или нарушением морали.

Это привело к тому, что половая жизнь в Древнем Китае была в целом здоровой, свободной от предрассудков и ханжества, а результат вам известен.

На сегодняшний день китайцы составляют одну шестую часть от всего населения Земли.

Даосизм — это древняя философия терпения и гармонии. Дао в переводе на русский язык означает «путь».

Суть учения заключается в том, что человек, научившись сливаться и находиться в гармонии с неисчерпаемой силой природы, будет жить долго и счастливо.

Даосы придерживались мнения, что сексуальная гармония способна привести нас к единению с бесконечной силой природы, которая, в их представлении, тоже имеет сексуальные черты.

Земля — это женщина (инь), а небо — мужчина (ян). Взаимодействие между ними составляет мир в целом.

Отсюда, как следствие, вытекает основной постулат дао, касающийся интимной сферы людских отношений: женщина на брачном ложе должна быть полностью удовлетворена.

Поэтому очень важно освоить правильное обращение с сексуальной энергией.

Тогда переходим к *технике задержки эякуляции* — древнекитайской технике торможения семени.

Когда мужчина во время соития начинает чувствовать, что приближается крайний момент, ему следует одним быстрым движение приподняться, вынув из лона возлюбленной свой «нефритовый стержень» примерно на дюйм, и замереть в таком положении, задержав дыхание.

Затем он должен глубоко вдохнуть диафрагмой и одновременно втянуть низ живота, словно сдерживая позывы к мочеиспусканию.

Древнекитайские эксперты советуют в эти мгновения размышлять о великой ценности своего семени (чжин) и о том, что его нельзя разбрасывать беспорядочно.

При глубоком дыхании возбуждение вскоре уляжется, и мужчина снова сможет продолжить любовные ласки.

Тут очень важно погасить движение чжин в самом его начале, иначе семя может не вернуться в прежний объем, а войдет в мочевой пузырь или в почки, а это недопустимо! Поэтому лучше отступить чуть раньше, чем опоздать.

Практикуя такой метод, мужчина достаточно быстро обретет способность почти автоматически контролировать эякуляцию, не позволяя своему «стержню» даже расслабиться.

Он сможет продолжать «битву» на ложе любви неопределенно долгое время, полностью сохраняя энергию и чувствуя себя на вершине блаженства.

Очень важно понять, что ритмические движения — самый простой и эффективный способ нагнетания локального энергетического потенциала.

Пример тому — наши рукоплескания стоящему на сцене оратору или певцу. Хлопая в ладоши, мы концентрируем энергию и отправляем ее предмету нашего восхищения.

Она проливается на него как награда за доставленное зрителям удовольствие.

Зарождение новой жизни также требует мощной энергии.

Практика запирания семени позволяет мужчине копить жизненную энергию или адресовать ее своей возлюбленной.

Такая близость энергетически обогащает каждого партнера, а также многократно обостряет их чувственность.

Упражнения, направленные на укрепление мужской потенции

Чтобы добиться желаемого результата, мужчине следует:

1. Ежедневно (дважды или трижды в день), лежа на спине, сокращать и расслаблять мышцы ануса (выполнять это упражнение до 50 раз, затрачивая на каждое сокращение несколько секунд).

2. Выполнять то же самое, но в коленно-локтевой позе (стоя на коленях, локтями упершись в пол, голова опущена, тело расслаблено).

Желательно постепенно увеличивать скорость произвольных пульсаций ануса и в конце концов довести ее до одного сокращения-расслабления в секунду (под счет «раз-два», «раз-два» и т. д.).

3. Однажды усилием воли прервать мочеиспускание и запомнить, какие мышцы в этом участвовали, а

затем научиться работать этими мышцами так же, как мышцами ануса, то есть произвольно сокращать их и расслаблять. (Делать ежедневно до 40 сокращений 3—5 раз в день, через 5—6 дней можно сделать перерыв на 2 дня.)

4. Направлять энергетический шарик тепла в область мочевого пузыря (мочеиспускательного канала, ануса, копчика) в соответствии с основными правилами методики.

Энергию **Т** можно сочетать с **П**, затем можно работать с **Х** и **Х + П**. (Удерживать ощущения по 15—20 секунд, повторять до 10 раз.)

5. Производить массаж мошонки и яичек: яички одновременно сжимать в ладонях до появления легкой болезненности. (Повторять ежедневно столько раз, сколько вам лет.)

Информация для ЖЕНЩИН

Уважаемые дамы!

Один из путей восстановления, улучшения, укрепления функций всего организма:

улучшения состояния опорно-двигательного аппарата,

восстановления функций сердечно-сосудистой системы, лимфы,

улучшения состояния кожи,

восстановления и усиления иммунитета всего организма,

восстановления, улучшения циркуляции крови в органах малого таза, обеспечения организма доброкачественными половыми гормонами —

это гинекологический массаж, которым мы с вами займемся сегодня и будем делать его постоянно.

Гинекологический массаж у женщин и урологический массаж у мужчин имеют одну и ту же цель.

Но мужчинам легче: у них есть прямой доступ к своим половым органам, например к яичкам.

А вы, милые дамы, можете достать руками свои яичники?..

Половые гормоны действуют как сигнал, как механизм, который говорит:

— Пора оставлять потомство! Всем органам приказ — скоро мы будем создавать новую жизнь.

Сердечно-сосудистая система, будьте добры, проведите опись своего имущества и укрепление всех своих подразделений, потому что вся эта система будет работать в повышенном темпе созидания, строительства.

Желудочно-кишечный тракт тут же начинает улучшать свою деятельность.

Качество сна резко улучшается.

По времени сон может чуть-чуть уменьшиться, но по глубине, качеству и самочувствию, уверяю вас, улучшится.

Бессонница или частые просыпания или когда вы встаете утром разбитым — все эти проявления исчезают чуть ли не как по мановению волшебной палочки.

Я всегда поражаюсь, что такого результата достигают почти все женщины, у которых есть, например, претензии к желудочно-кишечному тракту, претензии к коже, претензии к качеству сна, жалобы на эмоциональное состояние.

Им хочется сказать:

— Родненькие мои, солнышки мои, что вы вытворяете со своей жизнью?! Перестаньте быть ломовой лошадью, лучше, чем по врачам бегать, приведите свою сексуальную жизнь в порядок!

Вот из-за этого вам тоже скажу:

— Идите вы... замуж!

Одним словом, назначаю вам мужа по три раза в день!

Продолжаем дальше!

Кожный покров начинает улучшать свое состояние. Почему?

Потому что — рекламная кампания по привлечению противоположного пола начинает действовать, и румянец, нормальный румянец, появляется на щеках.

Вот откуда я знаю кто двоечник, а кто не двоечник.

Если на щеках примерно к седьмому-восьмому занятию легкий румянец не появляется, тут же начинаю эту нашу сокурсницу (мужчин это тоже касается!) массировать словесно. Это — первая наша с вами задача.

Но вторая, самая главная задача — организм готовит свою защиту против разных нежеланных гостей типа инфекции и т.д.

Все органы малого таза начинают нормализовать свои функции, убирать ненужные образования, скажем кистозные образования, миоматозные узлы, загибы, ликвидировать спаечные процессы и пр.

И что самое отрадное — без всяких прижиганий, без всяких лазеров и т.п. исчезают эрозии, буквально на глазах!

Если не поверили, можете пригласить зрителей и перед ними провести упражнение. Они вам подтвердят мои слова!..

Я вам говорил о защите? Я вам говорил об иммунитете? Вот это главное!

Вот этот механизм мы будем с вами использовать для лечения своих ушек, для лечения печени, для лечения почек...

Здесь можете в список заболеваний добавить и свое самое «любимое»!

Одним словом, организм приступает к капитальному ремонту.

В области промежности найдите ту мышцу, которую мы чаще всего используем во время мочеиспускания.

Во время мочеиспускания несколько раз усилием воли остановите струю мочи и запомните эту мышцу. Запомнили?

Потом включите мышцы входа во влагалище.

Произведите легкое напряжение и расслабление, легкое напряжение-расслабление. Вот здесь мы «ловим» эти мышцы, а потом кольцо напрягающихся и расслабляющихся мышц уносим в глубину, в сторону пупка.

И около пупка, чуть ниже пупка, это напряжение и расслабление постепенно расширяем. Самое главное — в глубине должно возникать напряжение и расслабление, напряжение и расслабление.

Внимание!

Напрягаемые и расслабляемые зоны, не торопясь, но и не засыпая на ходу, постепенно перемещаем влево, вправо — в поисках очень интересного приятного ощущения!

Первое

Механическое выполнение упражнения,

без внутреннего эмоционального наполнения вам большой пользы не даст. Вот поэтому читайте дальше!

Как вы узнаете, что достигли нужного участка?

Когда вы «касаетесь» матки, то понимаете, что матка сама по себе не такой чувствительный орган, как, скажем, собачий нос. Но там, чуть выше, в районе придатков, существует сильнейшая эрогенная зона. У многих женщин, к сожалению, она не приведена в действие.

А когда вы «касаетесь» яичников, труб и верхней части матки, возникает специфическое, приятное чувство. Это как бы благодарность вашего организма, презент вам за то, что вы там работаете!

Теперь вы поняли, что означает правильный доступ к этому участку в данном механическом исполнении?

Второе

Улавливание участка приятных ощущений

Я до сих пор не видел ни одной женщины, которой бы не было приятно. И самое интересное, даже те

женщины, которые говорили: «Я вообще фригид-
на», — путем этого массажа восстанавливали свою
чувственность, женственность и становились женщи-
нами с большой буквы.

Не бывает фригидных женщин, а бывают женщины с бзиком в голове, со своим уставом, искалеченные
воспитанием, неудачным опытом или чем-то еще.

Выполнение массажа происходит по следующей
схеме. Одновременно сокращаем все мышцы гениталий и волну сокращения уносим вверх и в глубину. Затем напряжение слегка отпускаем.

Каждую секунду вы должны выполнять одно легкое сокращение-расслабление. И так далее: сокращение-расслабление, сокращение-расслабление...

Третье
Суть — главное содержание
А теперь к этому упражнению добавим образ.

Продолжаем физические сокращения мышц и вместе с тем впитываем в себя образ совершенства, впитываем в себя утверждение,

что вы есть женщина с большой буквы,

что вы само совершенство,

что вы — вершина женственности,

красоты,

привлекательности,

обаяния,

что вы — самая желанная женщина во всей Вселенной!

Впитываем в себя эмоцию и пропускаем по всему
телу, наполняя каждую клеточку своего тела, заполняя
каждый уголок своей души.

Сейчас просто попробуем
Улыбка! Плечи поправили. Выше голову!
Сейчас, когда вы закроете глаза, вы будете просто нашей сокурсницей, а когда их откроете — перед нами будет королева, женщина-звезда.

Лучше вас женщины в мире нет!
Вы — самая красивая, самая обаятельная... Даже если у вас уши кривые, а ноги восьмеркой — создаете искусственно такое внутреннее утверждение образа красоты, как великий актер или актриса входите в роль!

С отношения к себе, с признания в себе силы — с этого и начнем!
Глаза закрываем, внимание направляем в область промежности. Чуть с юмором, обезьянничаем, пожалуйста.

Во время массажа, после напряжения и расслабления, там автоматически будет возникать тепло.

Напрягаем-расслабляем, чуть напрягаем и расслабляем. Попробуйте подключить мышцы ягодиц тоже. Чуть напрягаем, расслабляем, чуть напрягаем, расслабляем.

Раз, два; раз, два; раз, два; раз, два.

А теперь кольцо мышц, которое напрягается и расслабляется, уносим ввысь, в сторону пупка.

Раз, два; раз, два.

Теперь при каждом счете присутствует напряжение-расслабление.

Ра-а-з, два-а, три-и, четы-ы-ре, пя-я-ть, ше-е-сть, се-е-мь, во-о-семь, де-е-вять, де-е-сять.

Ра-а-з, два-а, три-и, четы-ы-ре, пя-я-ть, ше-е-сть, се-е-мь, во-о-семь, де-е-вять, де-е-сять.

Охватываем область пупка.

Ра-а-з — глубина,

два-а — ищем зону приятности,

три-и — мысленно поднимаем массаж выше,

четы-ы-ре, пя-я-ть, ше-е-сть, се-е-мь, во-о-семь,
де-е-вять, де-е-сять.

Браво! Еще! Улыбочка!

Это упражнение можно выполнять и сидя, и лежа,
и стоя — в любом месте, даже в кабинете у начальника,
во время совещания.

Теперь охватываем дополнительную зону. Напрягаем-расслабляем. Легко! Легко! Легко!

Вот примерно так.

Открываем глаза. Это физическое исполнение
упражнения. Это массаж, при котором возникает
тепло.

Поэтому после окончания упражнения обязательно внизу живота надо вызывать прохладу!

Это касается всех, но особенно тех, у кого

варикозное расширении вен,

тромбофлебиты,

застойные явления в органах малого таза,

не говоря уже о миомах, где тепло противопоказа-
но, где механический массаж противопоказан.

Ваш организм проводит этот массаж так, что, к нашей радости, в течение почти тридцати лет мы не заметили ни одного ухудшения!

Дай Бог, чтобы так было всегда!

В конце этого упражнения мы с вами должны вызвать такое ощущение прохлады и свежести, чтобы в

области малого таза возникло чувство легкости и комфорта.

Легкость! Никакой тяжести или дискомфорта быть не должно!
Голова должна быть ясной!

В каком бы возрасте вы ни были, мы с вами помним из упражнения, что когда мы думаем о лимоне, наш организм моментально реагирует путем выделения слюны, путем выделения желудочного сока.

Точно так же во время подключения эмоции во время физического выполнения гинекологического массажа организм начинает реагировать и подстраиваться под вашу эмоцию.

Главное требование — это выполнение Октавы, где ваше образное воздействие приводит

к признанию в себе

человека с большой буквы,
личности с большой буквы,
женщины с большой буквы,
сексуальной женщины с большой буквы...

Тысячи-тысячи раз утверждал и буду утверждать это, потому что сегодняшние ваши мысли во время выполнения упражнения —

это завтрашняя ваша действительность,

завтрашний ваш результат,

ваша маленькая новая прекрасная привычка познать в себе женщину,

признать в себе женщину, лучше которой нет в этом мире!

И поступать соответственно.

Вы самая обаятельная, самая прекрасная, самая красивая, вы совершенная!

Все это будет тут же отражаться на молекулярном уровне, на клеточном уровне, на уровне психоэмоционального состояния, на уровне всего организма.

И, пожалуйста, во время выполнения упражнения «Гинекологический массаж» уберите всякое ханжеское отношение к этому вопросу.

Уберите в сторону всякие рамки общепринятого поведения, потому что чувства стыда, скованности или даже брезгливости к своим половым органам, как у бесполых существ, быть не должно!

Не забудьте, пожалуйста, поступать точно так же, как мы с вами поступаем, работаем и действуем для развития, для совершенствования всего организма во время аутомануального комплекса, во время физических упражнений.

А чем плох главный орган продолжения рода — тот главный источник любви, фундамент любви между двумя полами?!

Творчество и сексуальность — это два названия одного понятия. Как характер и судьба — два названия одного и того же!

Многие заболевания, такие как миоматозные узлы, кистозные образования, — это как раз болезнь тех людей, которые свои половые органы оставили без внимания.

Со своим уставом, со своим мировоззрением, со своим искусственно придуманным мирком подошли эти люди и к законам матери-Природы, к Божественным законам и получили самонаказание в виде разрушения организма.

У каждого есть хорошая и плохая стороны собственного образа мышления и образа жизни.

Чрезмерность приводит к одним заболеваниям, а недостаточность и невнимательность приводит к другим заболеваниям.

Например, в среде специалистов есть такое широко распространенное мнение: у проституток миом не бывает.

Получается, что миомы бывают у тех женщин, которые по разным причинам не могли реализовать свою сексуальность.

Кистозные образования тоже мало встречаются или почти не встречаются, у кого половая жизнь в норме.

Значит, выполняя гинекологический массаж, мы с вами охватываем многие сферы, многие стороны своей жизни, отношения в семье, отношения на работе, отношения с обществом.

Никогда из ничего что-то не возникает. Каждый день, каждый ваш день труда, каждый день вашей любви, внимания к себе, признания себя будет вознаграждаться Природой, будет поощряться Природой.

Всегда ваше положительное отношение к себе будет вознаграждаться.

Спасибо вам за ваше внимание, спасибо вам за ваше терпение и от всей души благодарю вас за то, что вы, работая над собой, помогаете врачам-специалистам, что вы наконец-то начали собственными усилиями, собственной силой воли, силой духа созидать себя.

В этом пути Господь Бог с вами!

Успехов вам!

Это была пробная работа. А теперь для настоящих женщин, до которых простое объяснение не доходит, проведу упражнение.

ГИНЕКОЛОГИЧЕСКИЙ массаж!

Примите удобную позу — комфортную, удобную позу. Глаза закрыты.

Создайте в теле покой, в душе покой и готовность к приятной работе, к приятному занятию и очередному шагу на пути совершенствования.

Внутренним взором пройдите, пожалуйста, по всему телу. Пройдите по всему телу с чувством, ощущением, что **вы и есть вершина женственности!**

В каком бы возрасте вы ни были, какие бы формы вы ни имели, примите в себя и взращивайте в себе образ самой лучшей женщины в мире. **Ведь вы и есть самая красивая, самая обаятельная, самая прекрасная, самая привлекательная. Вы — эталон женственности!**

Пройдитесь с этим чувством по всему телу.

Мысленно проходим, проходим мысленно ноги, низ живота, туловище, грудь, плечи, шею, лицо...

И постепенно готовьте себя внутренне к тому, что путем гинекологического массажа вы не только усиливаете свою красоту, привлекательность, женственность, сексуальность, здоровье, но еще многие-многие лучшие качества, о которых вы мечтаете, к которым стремитесь и постоянно идете.

Внимание в область гениталий.

Легко-легко напрягаем и расслабляем, напрягаем и расслабляем мышцы промежности. Напряжение и расслабление.

Добавьте приятное чувство и постепенно к этому массажу добавьте тепло, тепло-о.

Ле-е-гкая пульсация, ле-е-гкое покалывание.

Ра-а-з, два-а, три-и, четы-ы-ре, пя-я-ть, ше-е-сть, се-е-мь, во-о-семь, де-е-вять, де-е-сять.

И постепенно эту пульсацию, эту сокращающуюся и расслабляющуюся группу мышц уносим в глубину, в сторону пупка.

Ра-а-з, два-а, три-и, четы-ы-ре, пя-я-ть, ше-е-сть, се-е-мь, во-о-семь, де-е-вять, де-е-сять.

Еще продолжаем и постепенно с каждой минутой будем увеличивать частоту сокращений и расслаблений.

Продолжаем!
Умницы!

Дайте раскрепощение, дайте свободу своей фантазии.

Ра-а-з, два, три, четыре, пять, шесть, семь, восемь, девять, десять.

Браво! Еще, еще, еще.

Продолжаем самостоятельно.

Ра-а-з, два, три, четыре, пять, шесть, семь, восемь, девять, десять.

Образ молодости, красоты, женственности, сексуальности, здоровья, величия, могущества!

Впитываем, впитываем, впитываем в себя ощущение, впитываем в себя чувство, впитываем в себя все-
ленскую любовь!

Познайте себя, признайте в себе, утверждайте в себе совершенство как женщина, которая и есть сама
красота, сама любовь.

Продолжаем массаж, продолжаем, продолжаем,
продолжаем, темп, легко-легко.

А сейчас мы с вами выйдем на более высокий темп.

Вот здесь максимум свободы, максимум внутренней раскрепощенности, и темп массажа увеличиваем.

Частоту сокращений усиливаем, увеличиваем по
возрастающей, по восходящей ввысь, ввысь, ввысь...
Сильнее, сильнее, сильнее и лучше.

Приготовились.

Перед этим броском немножечко отдохните.

И снова — поехали, поехали, поехали.

Настро-о-й!

Продолжаем это сокращение легко-легко-легко,
готовясь к действию.

Браво!

Поехали. Те-е-мп! Браво!

Раз, два, три, четыре, пять.

Убыстряем, убыстряем, убыстряем. И добавляем
Октаву, увеличиваем Октаву, усиливаем Октаву!

Браво!

Эмоциональный подъем!

Уходим ввысь, ввысь, ввысь!..

Браво!

А теперь постепенный переход на прохладу.

Массаж еще продолжаем и постепенно переходим на прохладу и свежесть. Создайте в области низа живота свежесть и прохладу.

Сейчас глаза закрыты, и заканчивает гинекологический массаж **королева, принцесса, сама женственность!**

Вначале было слово!

Каково ваше отношение к себе, таково отношение окружающих к вам.

Каковы ваши мысли, таковы ваши поступки.

Какие ваши поступки, такой характер, такой ответ, такая судьба.

Значит, признайте в себе красоту! женственность! молодость! бодрость! сексуальность! здоровье!

Настало время, родненькие мои!

День за днем, день, за днем, день за днем — путем тренировок, упражнений — добейтесь того, к чему вы стремитесь!

Познавайте себя, узнавайте себя, совершенствуйте себя во всех отношениях!

Уважение к себе, любовь к себе будут вызывать такое же отношение других к вам.

Трудности есть у всех. И быт, и жизнь у всех нелегкие. Но самое главное призвание: вы — женщина!

Чем бы вы ни занимались, с какими бы трудностями ни сталкивались, продолжайте, пожалуйста, осознавать, что **вы есть женщина с большой буквы.**

Ощущение прохлады усиливаем!

После массажа обязательно область гениталий прикрываем прохладой, свежестью, легкостью.

Особенно те, у кого есть какие-то новообразования, массаж должны заканчивать прохладой.

Теперь массаж полностью остановили и полностью охватываем прохладой низ живота, ягодицы, ноги.

Еще раз поблагодарите себя, погладьте себя мысленно по головушке. И когда вы откроете глаза, глаза откроет — **самая прекрасная в мире женщина, самая совершенная, самая желанная, самая красивая!**

Повторите это утверждение!

А теперь упражнение «Потягушечки».

Медленно, с истомой во всем теле, потя-я-ягиваемся, потягиваемся, потяги аемся, открываем глаза-а и сексуально говорим: «Мя- .1-у!!!»

А сейчас разрешаю повернуться на бочок и сладко уснуть. Намек поняли, в какое время можно делать это упражнение?

Спасибо, мои хорошие, что вы есть! Спасибо, что вы нашли время заниматься собой! Спасибо, что вы будете заниматься дальше, совершенствоваться!

Дорогу осилит идущий.

Все хотят выглядеть совершенными, все хотят быть счастливыми, а вы уже начали это делать.

Еще раз спасибо вам!

ЧАСТЬ IV

Родимые мои собеседники, вечные искатели истин и знаний!

На этом пути вас поджидают опасности. Какие? Сейчас объясню на собственном опыте.

Я тоже когда-то был искателем истины «со стороны» и с жадностью охапками брал с полок книги и читал все подряд.

Однажды среди этих книг мне попались труды одного автора. Его первые произведения мне очень понравились, и я с нетерпением стал ждать следующих. К тому времени он уже был очень популярным.

Но каково же было мое изумление, когда появились следующие его работы! Та несусветная чушь, которую он нес на страницах своих «шедевров», сбила меня с толку. Тем более что эта белиберда хлынула на прилавки сплошным потоком.

Но такой человек, как он, не мог изменить себе и, пренебрегая здоровьем людей, стряпать из старого,

ранее опубликованного материала перекомпонован-
ные брошюры. Не выдержав, я позвонил ему.

Он со вздохом объяснил, что последнее время его
завалили письмами и замучили звонками возмущен-
ные читатели.

Оказывается, он сам оказался жертвой издателей-
пиратов, которые захотели заработать на его добром
имени.

Более того, дело было настолько тонко и безупреч-
но организовано, что даже суд ему не помог!

Ваш покорный слуга на сегодняшний день тоже переживает подобную атаку дельцов — подпольщиков-
книгописцев.

Вот из-за этого, чтобы как-то противостоять такому словоблудию, я вынужден начать серию книг, со-
держащих практические знания нашей школы, на-
копленные тысячелетиями.

**И притом находящимися для обычных людей за се-
мью печатями!**

Почему так? Почему существует тайна? И зачем вообще тайна нужна?! Да потому, что здесь есть опасность!

Опасность представляют не знания, а сам получа-
тель знаний, каких — море. В основном — это те, кто
заполняет спальные районы в мегаполисах. А вообще-
то их везде навалом!

Они мирные и спокойные до тех пор, пока окружа-
ющие люди ничем не отличаются от них.

А вот если рядом появится человек со знаниями и,
Боже упаси, возможностями, чем-то отличающимися
от их, то эта колыхающаяся как студень масса раздра-
женно просыпается.

Эта толпа натягивает на голову красные косынки,
берет в руки маузер общественного мнения и с кри-

ком: «Никому не отдадим достигнутое!» — начинают целыми полчищами вылезать из своих «ям»!

Эти обитатели нор за много веков живьем «съели» сотни и сотни наших Наставников, а потом на алтаре науки из их же костей построили им монументы.

И мне тоже досталось.

Ух, как интересно получилось! Как в одном анекдоте: Шекспир заболел и умер, Гете — заболел и умер, Толстой — заболел и умер. Мне тоже что-то нездоровится.

Мне со своим скромным опытом приходится ежедневно встречаться с таким печальным явлением.

Когда я только-только под руководством Наставников начал формировать свои возможности, то стал вмешиваться в события, пытаясь помочь предотвратить опасность.

Смотришь на человека и видишь, что он завтра погибнет. Ему говоришь: «Не езди туда, завтра погибнешь!» **А он и другие, которые тоже это слышали, смотрят на тебя как на сумасшедшего! С жа-а-лостью, как на недоумка!..**

Хорошо. Не поехал, и ничего не случилось. Теперь они все на тебя смотрят как на идиота. Не случилось же ничего!

Так, человек видящий, изначально обречен...

И мне приходится, особенно весной и осенью, месяцами пахать, чтобы устранять опасность, грозящую тем людям, за которых я ответственен.

Значит,

1. Если просто расскажу о чем-то таком, за спиной слышу:

— А-а! Все это болтовня, красивые сказки!

2. Если чуть-чуть что-то покажу на деле:

— А-а! Это все фокусы! Трюки!

3. Если более-менее расскажу и покажу на примере других, то опять двадцать пять — слышу тихий вопль:

— Это подсадные утки!

4. Если терпение кончится и покажу что-нибудь существенное, сразу:

— Ню-ню, — комплекс неполноценности. — У меня ничего не получится, лучше я сопьюсь, разведусь, уйду в монастырь из-за такого несчастного существования!

5. Если вытер эти «ню-ню», успокоил и собеседник чуточку поверил в себя, начинается другая ария из той же оперы:

— Я вижу, слышу и чувствую чудо великое!

И начинает налево-направо нести бред с детским хвастовством!

6. Если хоть одну ма-а-ленькую возможность или только намек на нее они в себе раскроют, у них тут же начинается звездная лихорадка с интеллектуальным поносом!

7...

8...

9...

10...

Да их вообще безумное количество!

Вот вам ярчайший эталон человеческого «ума».

Разрешите вам рассказать одну историю, которая произошла в прошлом году. Те, кто занимался в той группе, обязательно этот случай вспомнят.

Буду воспроизводить с точностью до запятой.

Представьте.

Институт. В аудитории — примерно 200 студентов. Занятие проводят ведущие специалисты института с большим опытом работы.

Обычно в течение курса я трижды получаю отчет о ходе занятий: в начале, в середине и в конце. Если возникают какие-то трудности и нужна моя поддержка, сразу иду в аудиторию.

Вот почему я себя с гордостью называю «дежурной клизмой»!

В конце пятого занятия ко мне подходит ответственный за курс и сообщает, что у одной дамы никак зрение не улучшается!

Я предлагаю ее оставить после занятий на индивидуальную беседу, еще раз ей разъяснить, а вот если не поможет, то посмотрим.

И когда ведущие курс на седьмом занятии вернулись и сказали: «Ничего не получилось, она така-а-я упертая!» — я гордо расправил плечи, пальцы распустил веером и сказал:

— Сейчас покажем ей, где зимует кузькина мать!

И бодро поскакал в сторону аудитории.

Тихо зашел с милой улыбкой (это я так думаю, а как со стороны смотрелось — не знаю!), елейным голосом начал спрашивать:

— Какие успехи?

Другими словами, начал проводить опрос группы по заболеваниям.

Когда мы подошли к проблемам зрения, на вопрос: «У кого нет улучшения зрения?» — увидел единственную гордо поднятую руку на первом ряду.

Подошел с микрофоном и спросил:

— Скажите, пожалуйста, почему у всех улучшается зрение, у вас — нет, ваше мнение?

Обратите внимание! Ни одну точку и запятую я не меняю — с диктофона списал!

Она сказала:

— Я не верю, что какие-то осанка и настроение могут улучшить мое зрение!

Сразу в голове возникла мысль: «Ну и ...!!!»

Продолжая «лицемерно» улыбаться, я ее попросил:

— Будьте добры, если можно, встаньте, пожалуйста, и повернитесь к группе лицом.

Пол в аудитории сделан с наклоном, из-за чего каждого студента видно как на ладони. Обратившись к группе, я попросил встать тех, у кого проблемы со зрением.

Встали человек сто шестьдесят. Я задал свой дежурный вопрос:

— У кого идет улучшение и восстановление зрения? Будьте добры, поднимите, пожалуйста, руку.

Руку подняли абсолютно все!

Поворачиваюсь к ней и спрашиваю:

— Как вы думаете, им-то это помогло, а почему вам нет?!

Она сказала:

— Я даже не стала эти упражнения делать, потому что не верю.

— Ну, всей группе помогло! Глядя на эти поднятые руки, что вы скажете? Сегодня конец седьмого занятия. Неужели за семь дней мы не смогли вас переубедить?! Почему вы молчите?

Эта зрелая дама, гордо приподняв свою умную, напичканную высшим образованием голову, высокомерно-уничтожающим взглядом окинув стоящих людей, сказала:

— **Они все врут!**

Как бы вы поступили на моем месте?! Думаю, намного лучше, чем ваш покорный слуга.

Такие случаи в жизни бывают сплошь и рядом в общении с людьми, когда видишь: вот перед тобой стоит нормальный человек с растопыренными ушами, и начинаешь общаться, и каскадом одна за другой возникают мысли: «Или я оконченный дурак, не могу достучаться, или...»

И в какой-то момент у меня наступает короткое замыкание в извилинах и начинает возникать ощущение удушья.

В тот момент я как раз поступил самым примитивным способом.

Кровь ударила в голову, но, заставив себя просиять улыбкой, выдавил:

— Умница! Вот вы есть яркий пример мужского мнения, что в мире есть истинные женщины.

Истинной женщине десять лет объясняешь одно и то же, и в конце-то концов в очередной раз понимаешь свой идиотизм. Она все равно ни хрена не поняла!

Извините за грубый научный термин, то есть за слово хрен!

Чтобы частично расширить неполноценность ваше восприятие, приглашаю вас походить по коридорам нашей школы и заглянуть в один из классов.

Там уже несколько тысяч лет обучают, образно говоря, «технике вождения автотранспорта и правилам дорожного движения»!

Стремление перемещаться на дальнее расстояние у людей всегда было, есть и будет.

Исходя из того, что когда-то производство резины и металла было слабо развито, люди пошли другим путем и нашли свои реактивные самолеты, машины времени и легковые автомобили на близкие расстояния.

Но прежде чем переходить на более детальные объяснения и совместно тратить драгоценное время, разрешите ваше внимание заострить на понятии **тайна и тайная школа.**

Почему существует тайна, зачем она нужна?! От кого ее прячем?

И стоит ли вообще прятать?

Это что, высокоме-е-рие, горды-ыня, тщесла-а-вие?..

После достаточных лет раздумий я могу сказать, что Наставники совершенно правы!

Внимание!

Попробуйте своему пятилетнему ребенку ростом метр восемьдесят, с высшим образованием, в униформе власти сидящему в своей песочнице, именуемой «мир обычных людей», дать ваши знания и возможности, уважаемые взрослые!

Что произойдет? Да все рухнет! Глазом моргнуть не успеете! Мир не готов к этим знаниям!

Пусть этот мир существует со своими выдуманными ценностями: мечтами, сказками, фантазиями на тему взрослых из ясельной группы детского сада.

Наступит время, время совершенного человека! И двери школы откроются для всех. «Ах, как хочется... я хочу сегодня, я хочу сейчас!..»

К сожалению, придется подождать!

Как-никак все мальчишки любят играть в машинки, самолетики, что у нас еще? Да не имеет значения...

Нам тоже в свое время давали упражнения-игрушки.

Как-то мы со своими сокурсниками сидели в кругу и в шутку, смеясь, стали сравнивать технику и назначение некоторых упражнений с современными средствами передвижения технической цивилизации.

Мы нашли такое большое количество аналогов, что исполнились гордостью за нашу школу, потому что обнаружили, что в современном мире такого громадного количества разного вида спецтранспорта вообще не существует.

Что это значит?

Сделаю вам пока легкий намек в нижеследующих рисунках.

Если Господь пожелает, даст здоровья и терпения, то в будущем выпустим по этой тематике атлас с детальным, дотошным объяснением, а пока...

Сами сравните, есть ли такое «техническое» чудо в современном мире или нет!

Уважаемые читатели!

Разрешите вас пригласить на экскурсию в тайные знания, касающиеся темы энергетического здоровья, без всякого вымысла и высасывания из пальца.

Ниже, на представленных рисунках в основном показано искусство выхода из болезней. Но наряду с этим существует огромное количество других упражнений:

техника улавливания вертикального магнитного поля Земли,

техника улавливания векторов магнитного поля с севера на юг, техника улавливания вертикального притяжения Луны,

техника создания фантомов,

техника телепортации, левитации,

техника перемещения сознания во времени для рассматривания результата сегодняшнего своего труда и выбор из этих результатов самых оптимальных и т.д. и т.п.

Эти рисунки даются впервые. Мы долго, долго обсуждали, давать пояснения к ним или нет, и решили не делать этого.

Чтобы разъяснить все подробно, не оставляя никакой возможности сделать ошибку, нужно будет давать достаточно толстое приложение к каждому рисунку.

Если оставить информацию в сыром виде, с недосказанностью, то из опыта знаю, что обязательно найдутся те, кто попытается сделать эти упражнения.

Упражнение для лечения печени

На рисунках точки обострения внимания для перемещения сознания незначительно смещены и изначально поставлены в «неправильную» зону.

Почему мы пошли на это?

Практика показывает, что обязательно найдется кто-то, кто начнет делать эти упражнения без должного понимания, сделает что-либо неправильно и причинит себе вред.

Вдруг вы такой талантливый, что упражнение по телепортации вам удастся и вы окажетесь у черта на рогах: то есть не по адресу сядете голой попой.

Прошу прощения за образ.

И не вздумайте этого делать!

В этой экспериментальной книге я хотел бы сделать только поверхностный обзор знаний, изучаемых в нашей школе по теме энергетического здоровья.

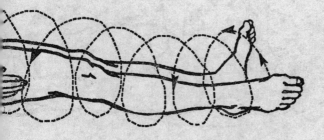

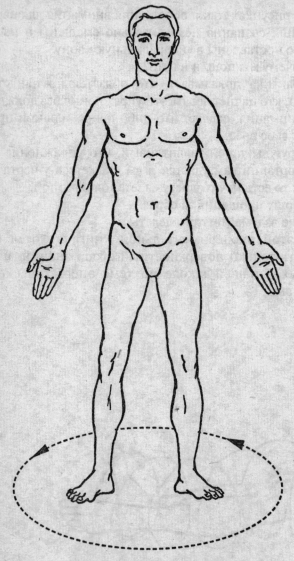

Упражнение при опущении печени

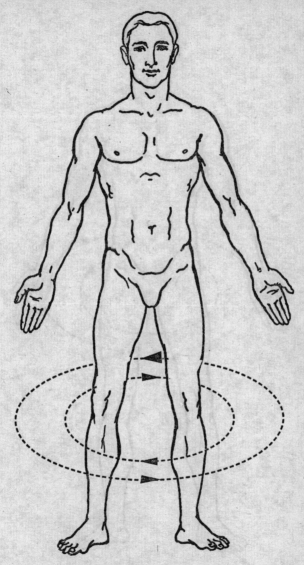

Упражнение при опущении печени

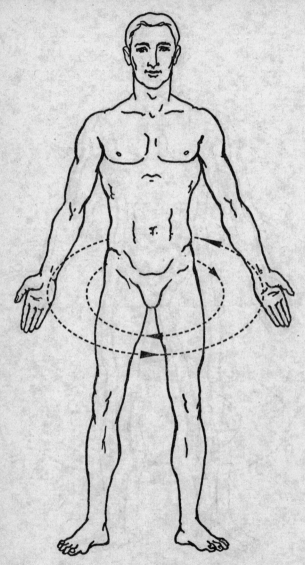

Упражнение при опущении печени

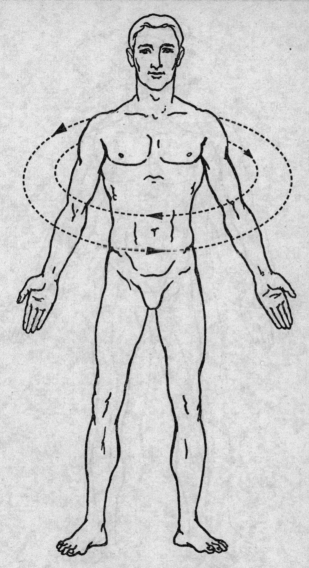

Упражнение при опущении печени

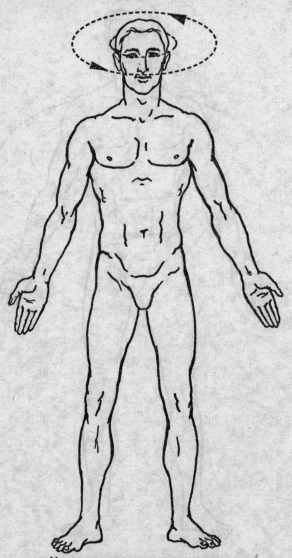

Упражнение при опущении печени

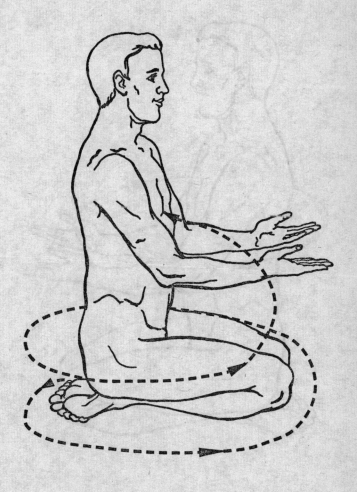

Упражнение для «поднятия» опущенной печени

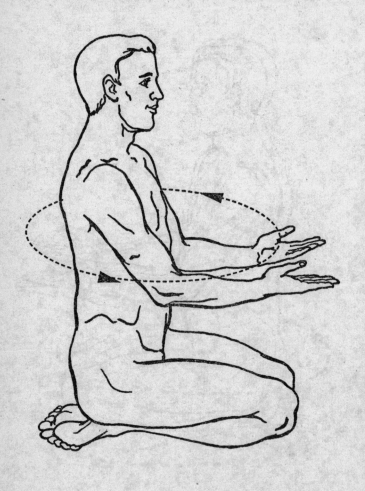

Упражнение для «поднятия» опущенной печени

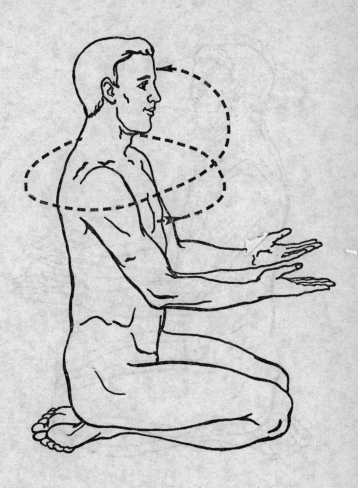

Упражнение для «поднятия» опущенной печени

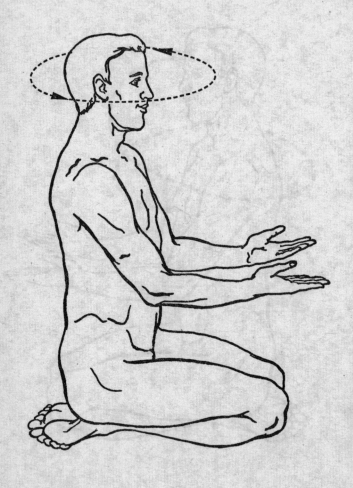

Упражнение для «поднятия» опущенной печени

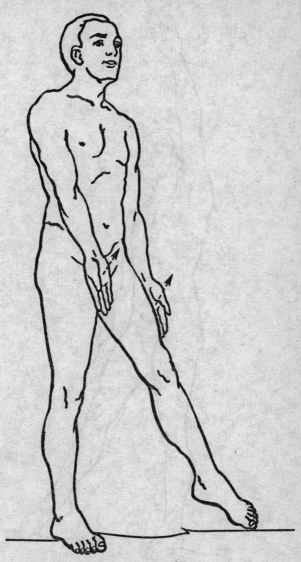

Массаж опущенной печени

Массаж опущенной печени (дополнительный способ)

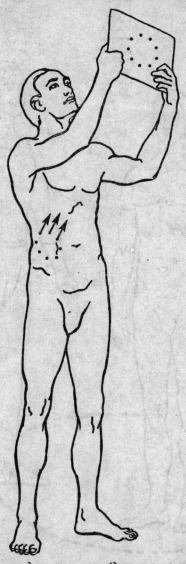

Упражнение для «поднятия» печени (дополнительный способ)

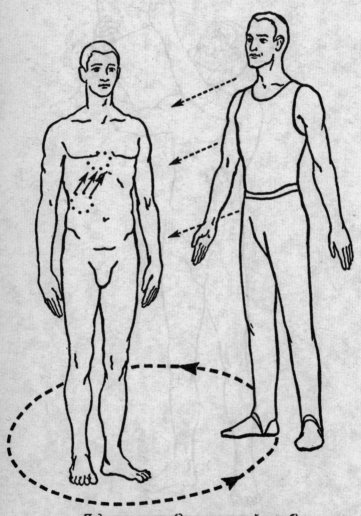

Поднятие печени (дополнительный способ)

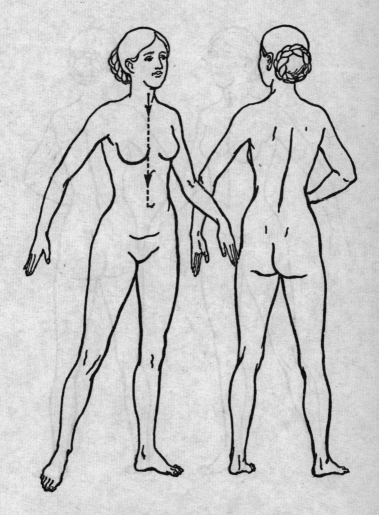

Упражнение для лечения женских болезней

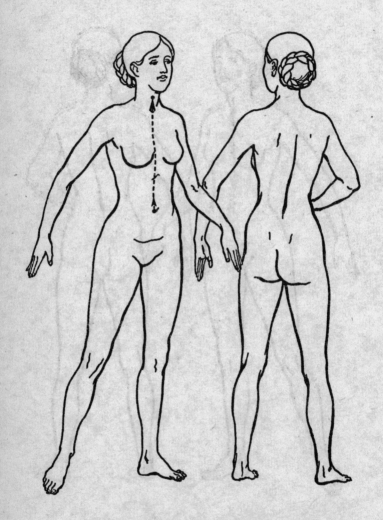

Упражнение для лечения женских болезней

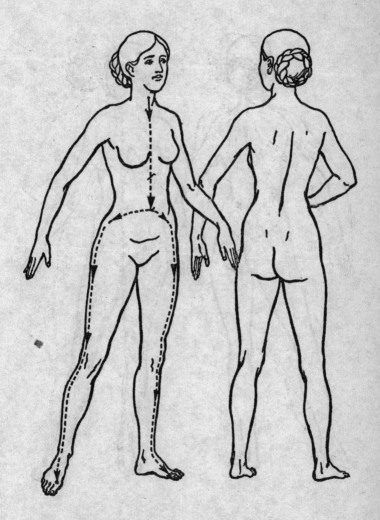

Упражнение для лечения женских болезней

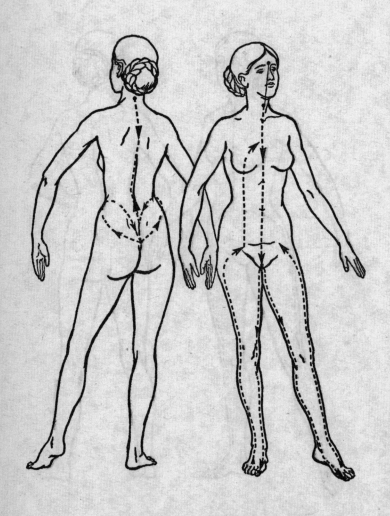

Упражнение для лечения кисты яичника (справа)

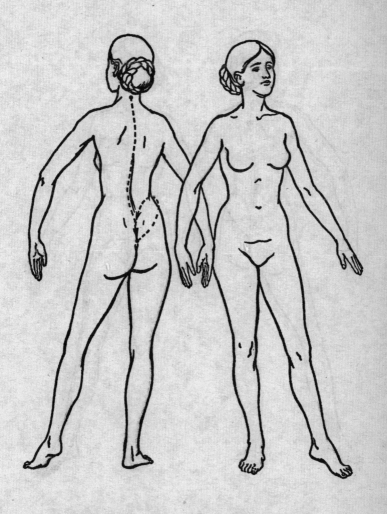

Упражнение для лечения кисты яичника (справа)

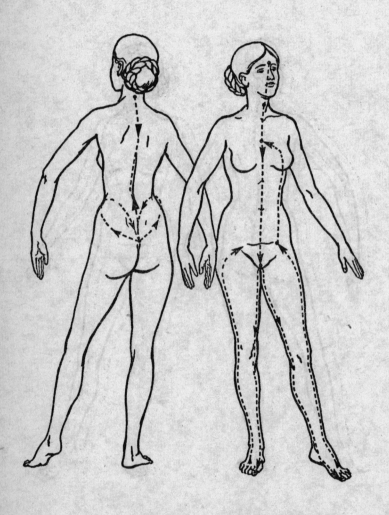

Упражнение для лечения кисты яичника (слева)

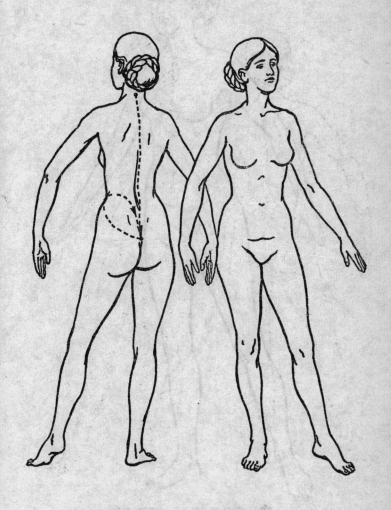

Упражнение для лечения кисты яичника (слева)

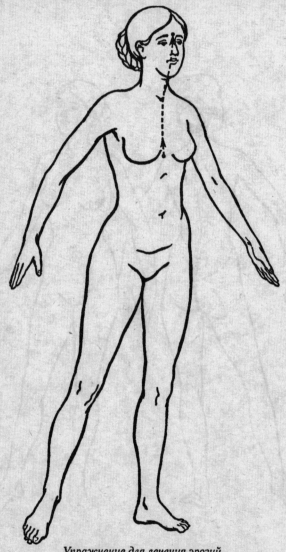

*Упражнение для лечения эрозий
и для восстановления менструального цикла*

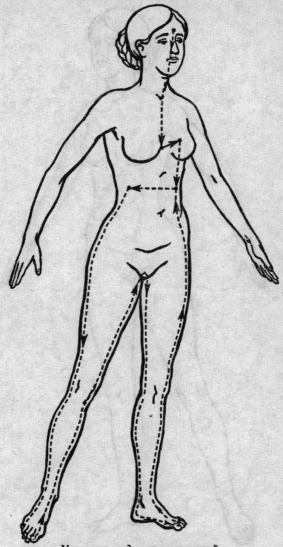

*Упражнение для лечения эрозий
и для восстановления менструального цикла*

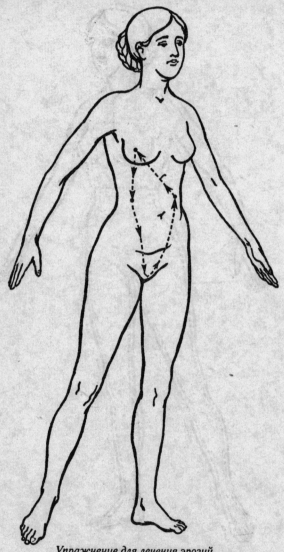

Упражнение для лечения эрозий
и для восстановления менструального цикла

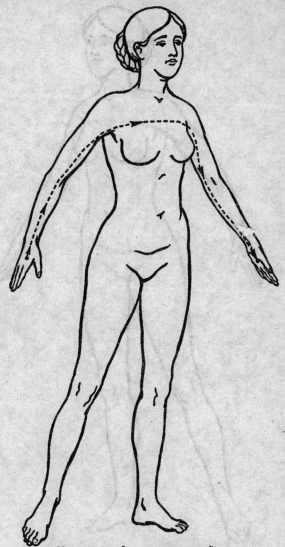

*Упражнение для лечения эрозий
и для восстановления менструального цикла*

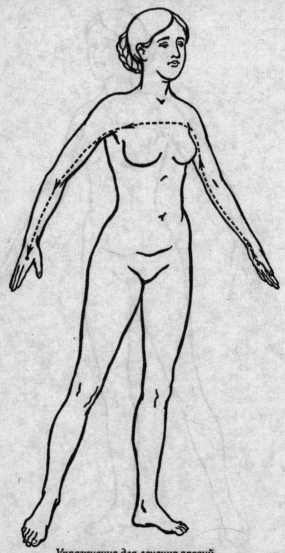

*Упражнение для лечения эрозий
и для восстановления менструального цикла*

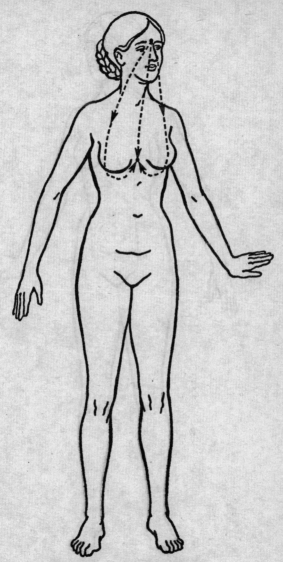

Упражнение для лечения бесплодия

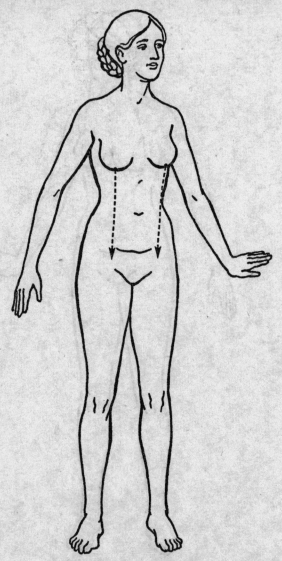

Упражнение для лечения бесплодия

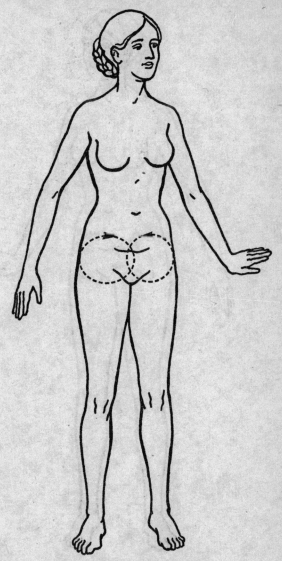

Упражнение для лечения бесплодия

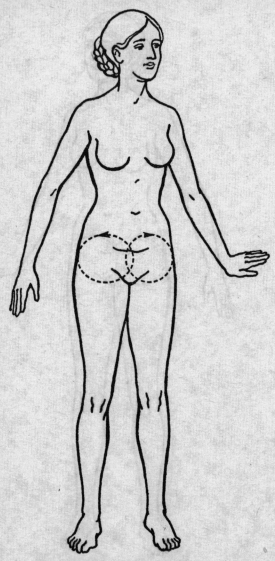

Упражнение для лечения бесплодия

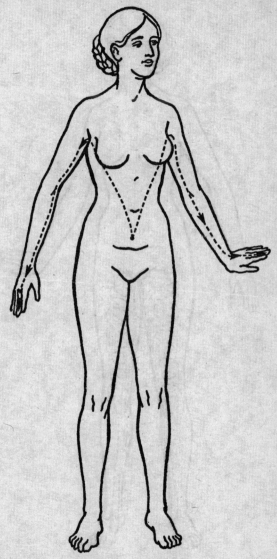

Упражнение для лечения бесплодия

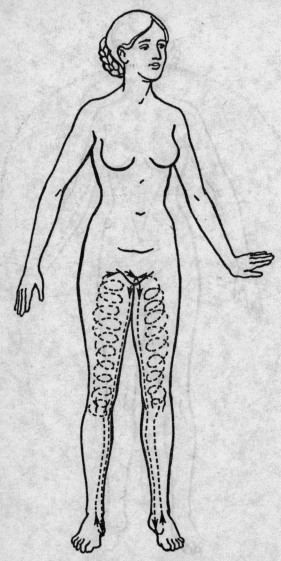

Упражнение для лечения бесплодия

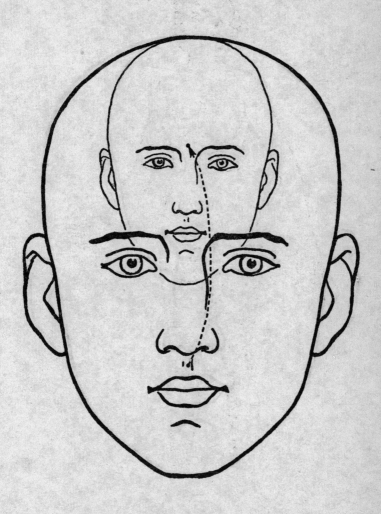

«Выход» из тела

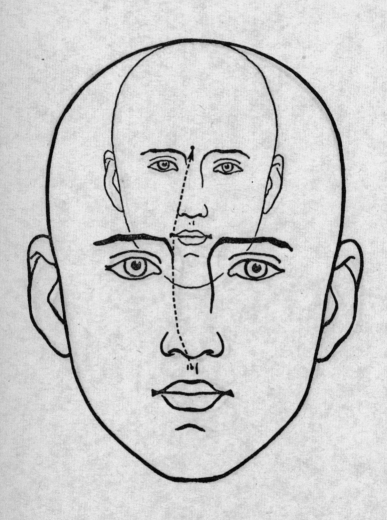

«Выход» из тела

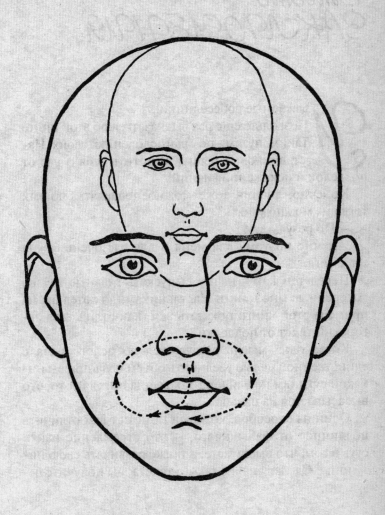

«Выход» из тела

Вместо
ЗАКЛЮЧЕНИЯ

*У*важаемые собеседники!

Позвольте еще раз высказаться об этой книге. Таким путем, по благословению своих Наставников, я решил защитить себя и вас от подделок и искажений знаний!

Конечно, знания тоже можно подделать, но как тогда их можно узнать?

— По результату!

Именно поэтому для меня и для вас очень важна эта книга.

Перед тем как я начну выпускать главные труды, доверенные мне моими Наставниками, я хотел бы на примере этой книги показать вам, как отличается авторский текст от подделки.

Когда одна мысль раздувается до целого тома с единственной целью увеличить объем издания, вы никакой сути там не найдете! Так всегда выглядит то, что высасывается из пальца.

Один из способов, который поможет вам отличить подлинное от фальшивого, — это стремление найти суть в том, что вы читаете, а также развивать свою интуицию. Сделав анализ такого текста, вы получите результат.

До встречи с вами,
Мирзакарим Норбеков

Содержание, или путебродитель по книге

Норбеков Мирзакарим

ЭНЕРГЕТИЧЕСКАЯ КЛИЗМА,
или
ТРИУМФ ТЕТИ НЮРЫ ИЗ ПРОСТОДЫРОВО

Зав. редакцией *Т.М. Минеджян*
Художественный редактор *Л.Л. Сильянова*
Технический редактор *Т.П. Тимошина*
Корректор *И.Н.Мокина*
Компьютерная верстка *Л.А. Быковой*

ООО «Издательство Астрель»
143900, Московская обл., г. Балашиха, пр-т Ленина, 81

ООО «Издательство АСТ»
667000, Республика Тыва, г. Кызыл,
ул. Кочетова, 28

Наши электронные адреса: www.ast.ru
E-mail: astpub@aha.ru

ЗАО НПП «Ермак»
115021, г. Москва, 2-й Котляковский проезд, д. 1, стр. 32

Редакция приглашает к сотрудничеству авторов
E-mail редакции: artshist@astrel.ru
tatyanam@astrel.ru

Институт Самовосстановления Человека

«Тысячи лекарей предлагают тысячу дорог, но все они ведут к храму здоровья».

Институт Норбекова предлагает комплексную программу для самопознания и самосовершенствования человека.

Познание себя, осознание лучших сторон своей Личности — вот главный предмет изучения в Институте.

Основной принцип обучения — это активная позиция человека по отношению к своему душевному и физическому состоянию. Изменить свое здоровье, свое душевное состояние, свою судьбу может каждый сам, своими стараниями, волей, силой духа. Никогда ни одно вмешательство извне не было столь эффективным, как целенаправленная работа над собой. Это путь, который каждый может пройти только сам.

Институт существует для того, чтобы помочь людям раскрыть и реализовать заложенный Природой потенциал, касается ли это здоровья, черт характера, развития интуиции или любого другого аспекта жизни человека, направленного на созидание.

Глубоко в основе предлагаемых систем самосовершенствования лежат древние восточные знания, которые на протяжении многих веков передаются из поколения в поколение, от Наставников к ученикам.

Самые простые и доступные из них легли в основу предлагаемых курсов.

На сегодняшний день миллионы людей в России, странах СНГ, Балтии, а также в США, Канаде, Германии, Израиле и других странах мира прикоснулись к этим знаниям.

Более двадцати пяти лет совершенствовались программы первой и второй ступеней Учебно-оздоровительного и Основного учебно-тренировочного курса.

В последние годы была создана "Лаборатория по огранке бриллиантов". Это специальный продвинутый курс для тех слушателей, которые достигли наиболее значительных результатов в работе над собой.

Итак.

- **Учебно-оздоровительный курс. I ступень**

Курс направлен на обучение саморегуляции организма для реализации духовного и физического потенциала, заложенного в человеке Природой, когда слушатели курса сами, без постороннего воздействия и вмешательства учатся справляться со своими проблемами.

Основные темы:

запуск механизмов, направленных на восстановление здоровья; укрепление сердечно-сосудистой, нервной, эндокринной, мочеполовой, иммунной, лимфатической систем; нормализация обмена веществ; коррекция зрения, слуха и других органов чувств; устранение последствий перенесенных травм, операций; нормализация функций органов дыхания, восстановление функций опорно-двигательного аппарата; гармонизация интимных отношений; коррекция лица и фигуры.

Продолжительность курса — 9 дней по 5 часов.

- **Детский учебно-оздоровительный курс**

Та же программа Учебно-оздоровительного курса I ступени, только адаптированная для детского восприятия.

- **Учебно-оздоровительный курс. II ступень**

Курс направлен на закрепление навыков, полученных на первой ступени курса, устранение глубинных причин заболеваний, специальная работа с конкретными заболеваниями, завершение этапа оздоровления, целенаправленная работа с чертами характера.

Продолжительность курса — 9 дней по 5 часов.

- **Учебно-оздоровительный курс. I ступень и II ступень**
  Для VIP-персон

Основной учебно-тренировочный курс I и II ступени
Ноу-хау академика М.С.Норбекова.

Цель: пробуждение интуитивной способности восприятия мира, формирование мышления путем озарения, физическое и духовное омоложение человека.

Основные темы: развитие способности предвидеть будущее, планировать и влиять на течение жизни, избегать стрессовых ситуаций и т. д., а также усиление лучших черт характера, из которых складывается облик Человека-Победителя. Как приятный побочный эффект — биологическое омоложение, повышение чувственности, а также гармонизация межличностных отношений.

Продолжительность каждого курса — 9 дней по 5 часов.

- **Главный курс — "Лаборатория по огранке бриллиантов"**
  Курс для избранных

В этой лаборатории реализуется программа основного курса: восстановление и активизация шестого чувства — интуиции, развитие способности позитивно влиять и формировать события своей жизни и многое другое. Программа содержит эксклюзивные авторские разработки. Занятия проводит лично М. С. Норбеков и с каждым слушателем работает индивидуально. Ведется строгий отбор.

Продолжительность обучения два года (первые десять дней подряд, а в дальнейшем один-два раза в неделю).

- **Дополнительный курс "Восстановление зрения"**

Цель: выявить и устранить причины ухудшения зрения, освоить коррекцию зрения, основанную на древневосточных методах улучшения и восстановления зрения, провести дополнительную работу со всеми внутренними органами и системами организма.

Основные темы: атрофия зрительного и слухового нерва, близорукость и дальнозоркость, катаракта и глаукома, астигматизм и т.д., а также гипертония и гипотония; варикозное расширение вен; остеохондроз и многие другие заболевания органов и систем.

Продолжительность курса — 5 дней по 4 часа.

Для обучения в нашем Институте не важен возраст. Двери Института открыты для всех, кто молод душой, кто верит в реальность мечты и готов воспользоваться мудростью, накопленной тысячелетиями.

Сайт Норбекова: NORBEKOV.COM
Сайт Института Норбекова (США) NORBEKOV
INSTITUTE (USA): NORBEKOVUSA.COM
Личный E-mail М.С.Норбекова:
norbekov@ norbekov.com
Книга-почтой: 109559, Москва, а/я 72

Центральные представительства Института в России и за рубежом:

Город	Код	Контактные телефоны организаторов
Москва	095	275 94 61
Институт		275 98 00
Самовосстановления		275 95 65
Человека		275 95 65
Центральный офис		
Детский Центр		507 66 87
Войковская		708 43 03
Центр доверия		746 98 30
Актау		См. тел. г. Актюбинск
Актюбинск	3132	51-71-06; сот. 8-300-381-81-50
Атырау		См. тел. г. Актюбинск
Алматы	3272	41-56-94; 22-59-17
Арзамас	83147	6-22-35
Архангельск	8182	26-13-44 (автоответчик);
Астана	3172	33-51-88; 8-300-326-42-17
Астрахань	8512	59-33-39
Ахтубинск (Астрах-я. обл.)	85141	1-55-98; 6-23-03
Баку	99-412	97-38-27; 53-15-05; сот. 332-60-42
Белгород	0722	27-87-67
Брянск	0832	74-34-92; 74-05-61
Вильнюс	37068	74-96-31
Вильнюс	37052	12-22-12
Витебск	375-212	22-48-84д; 27-57-89
Владикавказ	8672	58-96-20; 42-42-22
Волгоград	8442	97-23-71; 46-88-97; 95-95-96
Волгодонск	86392	3-84-15д.
Геленджик		См. г. Новороссийск
Глазов (Удмуртия)	34141	3-23-12
Дзержинск	8312 (Нижний Новгород)	34-81-85
Днепропетровск	38-0562	47-45-45
Евпатория	380-6569	3-74-38
Екатеринбург	3432	13-22-55; 61-18-55
Ереван	3741	55-32-43; 46-75-95
Ессентуки	87-961	5-21-13 Ст. Ессентукская
Железногорск (Красноярский кр.)	39197	2-89-20

Запорожье	380612	72-72-28
Зеленоград		536-26-78; 210-30-05
Ижевск (Удмуртия)	3412	25-40-31; 76-65-78 ф;
Йошкар-ола	8362	73-31-87; 11-63-06
Калининград	0112	27-60-03
Калуга	0842	55-24-62; 74-49-15
Караганда		см. тел. г. Астана
Киев	380-44	547-51-92; 552-72-46; 248-32-93;
Кисловодск	87-937	5-87-82
Королев	095	511-06-28
Кострома	0942	33-26-18
Краснодар	8612	8-918-414-42-58
Красноярск	3912	34-33-65;
Кстово	8312	30-69-22; 14-39-81
Курск	07122	6-79-95;
Курск	0712	53-20-67
Курчатов		см. тел. г. Курск
Кустанай		См. тел. г. Актюбинск
Липецк	0742	43-03-94
Львов	380322	35-59-00
Манчегорск	815-36	7-29-07;
Минск	37517	268-15-43;214-55-87;
		228-83-84;248-46-34;
Мурманск		см. тел. г. Североморск
Нальчик	86622	1-37-62; 1-41-22;
Невинномыск		см. г. Ставрополь
Нефтеюганск	34612	2-51-91
Нижний Новгород	8312	30-69-22; 13-42-44
Николаев	380512	22-81-83; 21-41-71; 55-83-73
Новополоцк	375214	52-36-10
Новороссийск	8617	61-91-96
Норильск	3919	46-67-93
Обнинск	08439	6-38-59
Одесса	380482	45-19-23
Омск	3812	36-31-07
Орел	086-22	
Оренбург	3532	76-20-43
Петрозаводск	8142	51-05-54
Печера	82142	2-35-02; 3-90-87
Петропавловск- Камчатский		8-904-281-21-20
Подольск	27	63-62-30; 51-04-45
Протвино	27	74-67-96
Псков	8112	53-29-43; 16-49-23;
Пятигорск	87933	9-77-94
Рига	371	741-81-57; 929-32-98; 929-44-39
Ростов-на-Дону	8632	41-61-27р
Рязань	0912	53-54-35 д.
Санкт-Петербург	812	973-15-34
Самара	8462	28-82-66
Саратов.Энгельс	84511	2-81-33
Саров	83130	3-36-25;
Севастополь	3806-92	46-67-23; 48-37-19
Североморск	81537	4-46-23; 4-44-39
Симферополь	38-0652	д. 22-29-31;24-22-95р;24-25-59
Смоленск	0812	д. 63-61-02; 8-903-649-61-02

Сочи	8622	97-87-67
Ставрополь	8652	36-54-86
Старый Оскол	0725	33-59-61; 32-47-21; сот. 8-910-320-09-57
Сургут	3462	323-999; 250-787
Сызрань	84643	5-78-06
Сыктывкар		См. тел. г. Тверь
Тамбов	0752	д.51-50-01; 48-32-08; 53-96-28
Ташкент	99871	116-72-72; 144-92-14
Тверь	0822	55-12-67
Троицк (Мос. обл.)	095	334-04-45; (27)51-04-45
Тула	0872	36-85-69 р.
Удомля		См. тел. г. Тверь
Уральск	3112	24-76-51
Усть-Каменогорск	3232	24-24-49;
Усть-Лабинск	86135	2-33-22
Уфа	3472	74-89-46; 33-45-32
Ухта		8-902-867-41-20
Усинск	82144	46-6-63
Чебоксары	8352	42-66-17; 56-66-51
Челябинск	3512	42-04-77; 65-83-46
Череповец	8202	32-12-70;
Черкассы	380472	76-53-51; (+38067) 749-55-63
Черкесск		см. г. Ставрополь
Чернигов	38050	465-19-45
Ярославль	0852	32-71-23;

Регион	Город	Код	Телефон
Израиль	Иерусалим	8 910 9722	571 3688 Fax
			583 36 73
	Хайфа	8 314 857	67233114
Канада	Торонто	10 1905	479 24 11
			479 24 22 Fax
			886 08 38
		10 1416	258 93 44
США	Чикаго	10 1847	247 97 18
	Денвер	10 1303	306 14 03
	Нью-Йорк	10 1212	743 95 89
	Лос-Анджелес	10 1818	942 49 87
Германия	Берлин	10 49172	368 30 84
	Оснабрюк	10 49541	163 23 86
			597 87 09
			120 84 26

Обращаясь в любой учебно-оздоровительный Центр, работающий по системе академика М. С. Норбекова, убедитесь в том, что преподаватели и организаторы имеют личное письменное подтверждение академика М. С. Норбекова о праве работы по авторской системе.